Contents

SHY NOVELS

碧の王子
～Prince of Silva～

岩本 薫

イラスト　蓮川 愛

碧【みどり】の王子

Prince of Silva

プロローグ

カーン、カーン、カーン……。

重々しい鐘の音が市街地に響く。

南米の小国エストラニオの首都ハヴィーナで、一番歴史のあるサン・ドミンゴ教会の鐘だ。

まだこの国がポルトガルの支配を受けていた時代から、ブロンズの鐘は民衆に刻《とき》を知らせてきた。

しかし鐘の役割は刻を知らせるだけではない。

時に祝福のベルとなり、時に鎮魂の響きともなる。

サン・ドミンゴ教会で婚姻の儀や葬儀を執り行う者は限られている。国のごく一部の権力者と、その家族だ。

昨日のことだ。付近の住人は弔《とむら》いの鐘の音を聞いた。

カーンと長くひとつ、それから続けてカンカンと打ち鳴らされる鐘に、人々は営みや作業の手を止め、黙禱《もくとう》を捧げた。

子供から年寄りまで、誰を悼《いた》む鐘であるかを知っていた。その痛ましい事故については、新聞やインターネット、テレビのニュース番組で、連日報道されていたからだ。

この国に生きる者ならば誰でも名前を知っている権力者——グスタヴォ・シウヴァの息子ニコラスの事

故による突然の死。

　乗っていたリムジンが崖下に転落し、大破、炎上。

　ニコラスの遺体は同乗の運転手、ボディガードもろともに燃え尽き、炭化しており、確認に時間がかかる模様。

　紙面やインターネットブラウザに衝撃的な文字が躍った。

　事故死したニコラスは、まだ二十八歳の若さだった。

　事故は不可解な点が多く、現在警察が原因を調査中だが、なにしろ車体の骨組みを残してなにもかもが燃えてしまっているので、解明できる確率は低いというのが大方の下馬評だ。

　険しい表情で痛ましい事件のあらましを思い起こしながら、愛車のステアリングを握っていたヴィクトール・剛《ごう》・鏑木《かぶらぎ》は、黄色に変わった信号にブレーキを踏み込んだ。車が停《と》まったところで信号が赤に変わり、目の前の横断歩道を、まだ年若い母親が幼い少女の手を引いて渡り始める。

（あの子と同《おな》い歳《どし》くらいか……）

　鏑木も昨日、遺体のない葬儀に参列したが、ニコラスの幼い娘は父の死が理解できず、ハンカチを握り締めて泣き崩れる母親を不思議そうに眺めていた。

「マーイ、どうしたの？　おなかが痛いの？」

　国葬級の大がかりな葬儀には、各界を代表するそうそうたる顔ぶれが参列し、いまこの教会に爆弾が投下されたら、国の運営が麻痺するんじゃないかと危ぶまれたほどだった。

　ショッキングな事故だっただけにマスコミも大挙して押し寄せて来ていたが、参列者はマイクを向けられても無言を貫き通し、迎えの車にそそくさと乗り込んで走り去っていった。いまの段階で憶測を語ったところで、誰の得にもならないことをわかっているのだ。

ニコラスの死によって利益を得る者、不利益を被《こうむ》る者。

ニコラスはエストラニオの陰の支配者とも言われるシウヴァ家の跡取りであったから、いずれも同じ数ほどいることだろう。

鏑木自身、ニコラスの死が単なる事故死だとは思っていない。

（確かに現場は急カーブだが、ベテランの運転手がハンドルを切り損ねるとも思えない）

だが、もし仕組まれた事故であったとしても、犯人が捕まることはおそらくない。

南米大陸の太平洋沿岸に位置するこの国は、通年太陽光に恵まれているが、陽射しが強い場所はまた影も濃いものだ。近年の経済の発展に比して貧富の差は拡大しており、エストラニオの「影」はいよいよその闇を深めている。

仮に真相が解明されたところでさしたる意味もなかった。

死者《ニコラス》が生きて蘇ることはないのだから。

すでに起こってしまった事象は覆《くつがえ》せない。

シウヴァは唯一の跡継ぎを失った。

そして、ニコラスが遺した娘はまだ幼い。

彼女が成人し、世継ぎを産むまで——その頃には八十を優に超えるグスタヴォ翁《おう》が健在でいられるのか。

もしそれより前にグスタヴォ翁が逝去した場合、シウヴァが持つ莫大な資産と権力を誰が継承するのか。

これは、シウヴァ一族が直面するかつてない危機だ。

五代に亘りシウヴァの側近として仕えてきた鏑木一族の現当主として、この非常事態に如何《いか》に対応するのが最善か。失意のグスタヴォ翁をどう支えるか。

自らにとっても最大の試練に接した鏑木は、眉間《みけん》に深く縦皺《たてじわ》を刻み、口許を引き締めた。

旧市街地の高台に建つシウヴァの屋敷は、地域住人から『パラチオ　デ　シウヴァ』と呼ばれている。シウヴァの始祖は、遡《さかのぼ》ればポルトガル王室の流れを汲む。そうしたバックボーンと広大な敷地面積が相まって、屋敷はいつしか「シウヴァ宮殿」と呼ばれるようになったのだ。

屋敷は石造りの外壁で取り囲まれているが、外からも窺《うかが》い知《し》れる緑の豊かさから、地元民に人気のランニングコースになっている。本館はこんもりとした樹木林の奥に建っており、その全容を知ることができるのは上空からのみだ。

門衛が護る外門を通過し、ココヤシの林を横目にくねくねと蛇行する一本道を走ること数分、ようやっと白亜の館が見えてきた。青々とした芝の前庭をさらに進み、最後は鋳鉄《ちゅうてつ》の巨大な噴水を回り込んで、石畳のエントランスに車を停める。すぐに白いユニフォームのバレーサービススタッフがすっ飛んできて、鏑木からキーを預かった。

「ありがとう」

「ヴィクトール様」

振り向いた背後に、モーニングコートに身を包んだ初老の男が立っていた。門衛から連絡を受け、迎えに出てきたのだろう。

「急なお呼びたて申し訳ございません」

屋敷を預かる執事のロペスが深く一礼する。

恐縮するロペスに鏑木は「気にするな」と言った。

「どのみち今日は伺うつもりだった。翁は？」

「お部屋でございます」

「昨夜はお休みになられた様子か？」

「いいえ……」

沈痛な面持ちで首を振るロペスの顔は、ここ数日でぐっと老け込んだように見える。彼ほどの経験を持つベテラン執事であっても、シウヴァの根幹を揺るがしかねない今回のトラブルには動揺を隠し切れないようだ。

それも道理。ロペスはニコラスが生まれる前からこの屋敷に奉公していたと聞く。ロペスにとっても我が子同然の「ニコラス坊ちゃま」の死は、悪夢以外のなにものでもなかったはずだ。

平素よりも口数の少ないロペスの誘導で館の中に入る。それ自体が美術館のような装飾を纏《まと》うエントランスホールを抜け、鏑木とロペスは中庭に面した外廊下を歩き出した。

午後の陽射しに照らされたココヤシが白壁に長い影を落としている。

目に映り込む天井、アーチ、ガラスが嵌《は》め込《こ》まれたフランス窓――すべてが白で統一された空間の中、一歩前を行く黒尽くめの執事が強烈なコントラストを描いていた。

響くのは床を叩く二人分の靴音だけだ。静寂に包まれた館は、子供の頃から遊びに来ている鏑木でさえ、ともすれば迷いそうなほどに広い。

邸内を回りきるには大人の男の足でも半日かかる広大な屋敷の住人は、一人減って現在三名。当主のグスタヴォと、寡婦《かふ》となったニコラスの妻ソフィア、そして幼い娘アナ・クララだ。

一方、彼らの生活を支える使用人は八十名に及ぶ。庭師だけで六名を数えると、いつか使用人を束ねるロペスが言っていた。これだけの家屋敷を維持するには、それでも充分とは言えないくらいです、と。

先程エントランスホールで使用人数名とすれ違ったが、どの顔も『パラチオ　デ　シウヴァ』を襲った突然の悲劇にどう対処すればいいのかを思いあぐねているかのように困惑の色を宿していた。

(彼らがシウヴァ一族の先を思い、不安になるのも当然だ……)

使用人の憂《うれ》いに同調した鏑木は、外廊下に沿って立ち並ぶアーチに視線を向けた。アーチからは、いくつかある庭園の中でも比較的歴史の古いパーム・コートが望める。

パーム・コートには、タビビトノキや象の耳などの熱帯植物が植えられ、目にも鮮やかなグリーンに混ざって、差し色のようにヘリコニアやアルピニア・プルプラタが花を咲かせていた。

だが今日はいつもは賑やかな鳥の囀《さえず》りが聞こえない。庭園の鳥たちですら、屋敷に垂れ込める不穏な空気を感じ、息をひそめているかのようだ。

そうこうしているうちに内扉とぶつかった。その扉の向こうに現れた絨毯《じゅうたん》敷《じ》きの階段を上がり、二階の内廊下を進む。その間、二人とも無言だった。普段は主人の部屋への道すがらロペスとの会話を楽しむ鏑木も、今日ばかりは世間話をする気分になれない。

少し先を歩いていたロペスが、突き当たりの二枚扉の前で足を止める。扉の両側には、シウヴァの家紋であるモルフォ蝶《ちょう》を象《かたど》ったレリーフが、左右対称となるデザインで彫り込まれていた。

紋章を前に、鏑木はネクタイのノットに手をやり、緩んでいないかを確かめた。

亡き父の跡を継ぎ、グスタヴォの側近となって一年が経つが、いまだに主人との面会には肩に力が入る。グスタヴォには、対峙《たいじ》する人間を緊張させる独特なオーラがあった。そうでなければエストラニオのフィクサーとして、政治と経済両面に影響力を持ち続けることなどできないであろう。

ロペスが扉をノックした。

「旦那様、ロペスでございます。ヴィクトール様がいらっしゃいました」

「……入れ」

中から嗄《しゃが》れた声のいらえがあり、ロペスが二枚扉を押し開く。自分が先に中に入ってドアを押さえ、鏑木を通した。

たちどころに鼻孔をつくハヴァナ葉巻の香り。天井が高く、広さもある空間でここまで立ち込めているということは、かなりの本数を灰にしたはずだ。ひょっとしたら一晩中、眠らずに吸っていたのかもしれない。

シノワズリのアンティーク家具で統一された前室を抜け、カーテンが幾重にもドレープを描くアーチ形の入り口をくぐって主室に足を踏み入れる。

高い天井にみっしりと彫刻の施された主室はグスタヴォの書斎を兼ねており、壁一面を天井までの書架が占めている。書架の反対側の面は窓。残りの二面の壁には隙間なくシウヴァ家代々の当主とその家族の肖像画が飾られていた。

中でも一番立派な額縁のものは、ポルトガルからの入植後、砂金とエメラルドの発掘で巨万の富を築いた始祖の肖像だ。

「セニョール・シウヴァ」

正面の暖炉《だんろ》の前に立ち、始祖の肖像画を眺めていた白髪《しらが》の男が振り返る。

「ヴィクトール」

鏑木よりだいぶ背が低い。ナイトガウンに包んだ体つきも決して頑強とは言えなかった。どちらかといえば小柄で痩躯《そうく》だ。

オールバックに流された豊かな白髪。秀でた額と、その身に流れる高貴な血筋を象徴する高い鼻梁《びりょう》。いつにも増して眼窩《がんか》が窪《くぼ》んで見えるのは、この数日眠っていないからだろう。だが碧《みどり》の目は光を失っていない。主《あるじ》の双眸《そうぼう》が炯々《けいけい》と放つ強い眼光に、鏑木は内心でほっとした。

(まだ心は折れていない)

さすがは『エストラニオのコンドル』と呼ばれるグスタヴォ・シウヴァだ。

「お呼びと聞いて参上しました」

ぴしりと背筋を伸ばして立つ鏑木に、グスタヴォがうなずく。椅子を勧めることもしないままに、やおら切り出してきた。

「イネスを捜せ」

一瞬、なにを命じられたのかわからなかった。

「……は？」

聞き返した鏑木に、グスタヴォが苛立ったように繰り返す。

「イネスだ。イネスを捜せ」

改めてその名を確認して、鏑木は驚きに両目を瞠《みは》った。

鏑木が知る限り、この十一年間でグスタヴォの口からイネスの名が出るのは初めてだ。

その名を口の端に掛けるのは、シウヴァの周辺では暗黙のタブーとされ、グスタヴォの耳に届かない場所ですら、誰も話題に出さないほどだった。

鏑木とて、ニコラスの死という非常事態を受け、脳裏にその名が浮かばなかったわけではない。むしろ真っ先に思い浮かんだ。葬儀に関する事後処理が一段落し次第、水面下で密かに動くつもりでいたくらいだ。

が、まさかグスタヴォ自ら「捜せ」と命じてくるとは思っていなかった。

戸惑いから、思わず「しかし」と抗弁が口をつく。

「イネス様は」

「アレはワシを裏切った娘だ」

思い出すのも忌々しいというように、グスタヴォが顔を歪めて吐き捨てた。

「……だがこうなった以上、シウヴァを継ぐ者はアレしかおらん。アナ・クララの成長を待ってはおられんからな」

「…………」

イネスとはグスタヴォの娘だ。亡くなったニコラスの三つ上で、生きていれば三十一になる。

そう——生きていれば。

十一年前のある夜、シウヴァの家を出たきり、イネスの消息は途絶えていた。

当時、イネスにはグスタヴォが決めた婚約者がいた。だがイネスは研究のためにエストラニオを訪れていた日本人の植物学者・甲斐《かい》谷学《やまなぶ》と恋仲になった。交際を父に猛反対され、思い詰めた二人は、手に手を取って出奔した。駆け落ちだ。

跡取り息子よりもかわいがっていた愛娘の裏切りに、グスタヴォは激昂《げっこう》した。娘との絶縁を宣言し、周囲にも一切の捜索を許さなかった。

仮にイネスが生活に困窮して泣きついてきたとしても門前払いせよと厳命した。

娘への愛情の深さ故に裏切られた心の傷は深かったのだろう。以降、グスタヴォは性格まで変わってしまった。

当時、鏑木自身はまだ学生であったが、グスタヴォの金の髪が日に日に白くなり、表情も日に見えて険しくなっていったのを覚えている。一時期は中心となっていた社交界からも遠ざかり、人を寄せ付けなくなった。

そうして「イネス」の名は封印された。まるではじめからいなかったかのように、彼女の存在はシウヴァ一族の家系図から抹消されたのだ。

そうまでして断ち切った娘を十一年経ったいま捜せという。

(イネスに跡を継がせる？　……そんなことができるのか？)

確かに、イネスは非常に聡明で、顔立ちも気性も父に似ていた。周囲の人間を魅了するグスタヴォ譲りのカリスマ性を具《そな》えていた。正直に言えば、精神的に打たれ弱いところのあったニコラスよりもシウヴァの総領に相応《ふさわ》しい器の持ち主だった。

だからこそ、家を捨てた娘に対するグスタヴォの失望は大きかったわけだが。

気位の高いグスタヴォにすれば、勘当した娘に今更戻って来て欲しいと頭を下げるなど、本来ならば考えられない屈辱だろう。

プライドと引き替えにしてでもシウヴァ存続の道を探る——苦渋の決断に違いない。

それはとりもなおさず、事態がそれだけ深刻であるという証左《しょうさ》に他ならない。

改めて気を引き締め直した鏑木は、主の求めに力強く「畏《かし》まりました」と応じた。

「イネス様の捜索に全力を尽くします」

グスタヴォがめずらしく近寄ってきて、鏑木の手を摑んだ。

「ヴィクトール、頼んだぞ」

「はっ」

生きているのかどうかさえわからないイネスの存在。

もしイネスが存命しており、少なからず親兄弟に愛情があったなら、この十一年の間に連絡のひとつも寄越したはずだ。それがなかったということは、彼女にはシウヴァに対する未練がないということ。

前途は決して明るくはない。

しかし闇に墜ちたシウヴァにとって、イネスが残された唯一の光であることは間違いなかった。

I

ドッドッドッドッ。

褐色の水を掻き分けて川を走っていた小型のモーターボートが、目的地が近づくにつれて失速する。モーターボートといっても、大木をくり貫《ぬ》いた細長い舟に、四十馬力のエンジンを搭載しただけの簡素なものだ。地元では「カノア」と呼ばれている。

エンジンを切ったカノアが、川岸の小さな船着き場にゆっくりと近づいていく。ぴったりと横付けされたカノアから、蓮《れん》は木造の桟橋《さんばし》にぴょんっと飛び移った。

衝撃にぐらぐら揺れる桟橋の上を、器用にバランスを取って歩き、今度は陸地にぴょんっと飛び移る。くるりと振り返った蓮は、カノアの操縦者に手を振った。

「おじさん、ありがとう！」

「おう、レン、父さんと母さんによろしくな」

真っ黒に日焼けした男が白い歯を見せて手を振り返してくる。蓮が見送る中、男は木でできた長い棹《さお》を操ってカノアを方向転換させ、いま来たルートを下流へと引き返していった。

アマゾン川の支流のひとつであるこの川は、川幅が二十メートルほどで、乾季であるいまは流れも比較的穏やかだ。逆に雨季には水嵩《みずかさ》が増し、流れも激しくなる。大雨の際には川が氾濫《はんらん》し、ジャングルが水浸しになることもあった。

蓮が降り立ったこの地より上流に民家はない。

つまり、人間にとってはここが、エストラニオの熱帯流域《セルバ》における最果ての地だ。

近隣国の例に漏れずエストラニオのアマゾン流域も開拓が進んでいるが、このあたり一帯にはまだ手つかずの自然が残っていた。

それ故、蓮の家が建つ密林から学校がある村までは獣道が一本通っているだけで、子供の足で片道二時間かかる。がんばれば歩けなくはない距離だが、こうして舟を使えば三十分で着く。

普段は父がカノアで学校まで送迎してくれるのだが、今朝は父母共に地主の収穫の手伝いに駆り出されてしまった。なので歩いて登校したところ、帰りはラッキーなことに、近隣の集落（といっても徒歩で一時間は離れた下流にある）に住む村人が帰宅ついでに送ってくれることになったのだ。

カノアが見えなくなったので、蓮は鬱蒼《うっそう》と生い茂る獣道を駆け出した。

背中に帆布製のリュックサックを背負い、ランニングシャツに短パンという軽装は、ジャングル初心者ならばたちどころに毒を持つアリや蜂にやられる危険性を秘めている。

だがこの地で生まれ育った蓮は、不思議と虫に襲われることはなかった。コパイバの木の樹液を飲んでいるせいもあるかもしれない。この樹液には虫除《むしよ》けの効用があると言われており、実際にコパイバの木には野生の動物たちが集まって、幹から滴り落ちる樹液を舐《な》めたり体に擦りつけたりしている。

また、動物たちがわざわざ苦くて不味いゴムの木の種を食べることがあるが、これは内臓の浄化作用や虫下しに効果があるためらしい。誰に教わったわけでもないのに、生まれながらに動物や鳥はそういった知恵を身につけている。

密林で暮らす術《すべ》は、動物や鳥に教わるのが一番だと、ジャングル生まれの父はよく言っていた。

原生林の獣道を十分ほど進むと、不意に切《き》り拓《ひら》かれた土地が現れる。猫の額ほどの土地の真ん中に建つ木造の小屋。洪水に備えた高床式の粗末な小屋が、蓮たち一家の住処《すみか》だった。

家族は父と母、三つ違いの兄アンドレ、蓮の四人だ。父の祖先はブラジルからやってきた開拓民で、母は先住民族の血を引いている。

梯子《はしご》をトントントンッと勢いよく登った蓮は、ベニヤの引き戸を開け、家の中に向かって「ただいまー」と声をかけた。返事はなかった。アンドレはまだ畑から帰っていないらしい。

一家はここから三十分ほど離れた下流の土地に焼畑を借りており、そこでキャッサバ芋《いも》を栽培している。今日は両親が地主の手伝いに出かけたので、アンドレが一人で畑に出ているのだ。

リュックサックを床に置くなり、おやつのバナナを口に咥《くわ》えた蓮は、すぐさま梯子を下りて密林に引き返した。バナナを食べながらジャングルの奥深くに分け入っていく。

学校から戻って日が翳《かげ》るまでは自由時間だ。暗くなったら家に戻って、アンドレの薪割《まきわ》りを手伝わなければならない。そのあとは川で水浴びをして母が作った夕食を四人で囲み、食後はランプの明かりで宿題をする。そうして夜九時には外の木に吊したハンモックで眠りにつく。これが週のうち六日の蓮の日常だ。

日曜日は学校がないので、午前中は四人で村の教会に行く。ミサから戻ったあとは、アンドレと一緒に両親の仕事の手伝いをすることになっていた。キャッサバ芋の皮むきをしたり、森にカスターニャの実を拾いに行ったり、茸《きのこ》を摘んだり、川に魚を釣りに行ったりする。

収穫物は自分たち家族の食料になるが、父が村まで持って行き、生活に必用なものと交換してくることもあった。衣類や銃の弾薬、石鹸《せっけん》、調味料、薬などだ。それ以外は全部森から調達する。昔は近隣の男たちで連れ立って猟をしたらしいが、最近は動物保護のために狩猟に制限がかけられ、解禁のシーズンしか狩りはできなくなった。解禁のシーズン中も、ジャガーやバク、アリクイなどの絶滅危惧種を狩ることは禁止されている。

カカカッ、ククク ッと空気を切り裂くような鳥の鳴き声が響いた。

熟《う》れた果実の匂いと甘ったるい花の匂いが鼻孔を擽《くすぐ》る。

ジャングルの中は天空を折り重なる樹冠に覆われ、いつも薄暗い。

樹冠のせいでジリジリと肌を焼くような陽射しは直接当たらないが、空気が湿気を含んでじっとりと蒸し暑かった。少し動いただけで全身に汗を掻く。蒸し暑い日中は、森の大型の動物たちも体力を奪われるのを嫌い、木陰で休んでいる。彼らが徘徊するのは雨が降った日の夕刻や、気温が低くて涼しい夜だ。けれど、リスや猿などの小動物は気温や湿度に関係なく、木の枝をちょこちょこと動き回っている。いまも頭の上でひっきりなしにガサガサと葉が揺れていた。

「あっ」

目の前を、ひらりとなにかが舞う。

「モルフォ蝶《ちょう》だ！」

声をあげた蓮は、メタリックブルーの羽を持つ、ジャングルでもめずらしい蝶を追いかけ始めた。

道なき道には無数の落ち葉や小枝が降り積もり、蔓《つる》や樹木の根っこが複雑に絡み合って、地表がほとんど見えない。昨日まではなかった倒木がいきなり横たわって前方を塞いでいることもある。

しかしそんなことは日常茶飯事。蓮は怯《ひる》むことなく倒木をひょいっと乗り越え、さらに奥へと分け入っていく。方位磁石ひとつ持っていないけれど、帰れなくなる不安はなかった。蓮にとって生まれ育ったジャングルは、自分の庭のようなものだからだ。

モルフォ蝶はしばらくひらひらと蓮の前を漂っていたが、突然ふわりと急上昇してその姿を消した。

「……ちぇー、捕まえてアンドレに自慢しようと思ったのに」

蓮のぼやきに反応してか頭上の葉がざわざわとざわめき、猿たちがキキキッと鳴き声をあげる。蓮もキキッと鳴き真似で返した。鳥や動物の鳴き真似——レメダルは蓮の得意技だ。いろいろな声色を使い分け、鳥や動物を呼び寄せることができる。

兄以外に近隣に同年代の子供がいない蓮にとって、森の動物たちが遊び仲間であり、友達《アミーゴ》だった。

と、不意に前方の草薮《くさやぶ》がガサガサと揺れる。重なり合った茂みが割れ、ぬっと黒い大型獣が姿を現した。

流線型のシルエットと丸みを帯びた頭。漆黒の毛並みに黄色みを帯びた眼が炯々《けいけい》と光る。

『森の王』と恐れられるジャガーだ。

野性のジャガーは、いまやアマゾンのジャングル奥地でも稀少だが、突然変異のブラックジャガーともなればさらにその数は少ない。存在自体が奇跡といってもよかった。

「グォルルル……」

ブラックジャガーの低い唸《うな》り声《ごえ》が響く。頭上の猿が『森の王』の出現にキキキッと騒いだ。

大きな前肢でパキッと小枝を折り、ジャガーがのっそりと近寄ってくる。立《た》ち竦《すく》む蓮のすぐ側まで来て、匂いを嗅《か》ぎながらぐるりと一周した。

「グルル……グルル」

唸り声をあげてむくりと起き上がったジャガーが、前肢を蓮の肩にかけた。そのまま体重を掛けて押し倒してくる。どしんと尻餅をついた蓮にすかさず乗り上げ、ぐわっと大きく口を開けた。真っ赤な口には尖《とが》った牙がずらりと並んでいる。蓮の喉首に狙いを定め、ジャガーの顔が近づく。

「エルバ……くすぐったいよ」

舌でべろりと喉を舐め上げられた蓮は首を縮めた。ジャガーがグルグルと喉を鳴らす。

「昼寝してたんじゃないのか？」

蓮はその丸い頭を撫でた。小さな耳がピクピク震える。ジャガーは蓮の首筋に丸い頭を擦りつけ、ぱたんぱたんと尾で地面を叩いた。

「眠いくせに無理しちゃって」

エルバはいま四歳。その体はジャガーの標準よりもひと回り大きい。森の動物の中ではおそらく最大で、名実共に『森の王』だ。

だけど、蓮に甘える姿は子供の頃のままだ。

四年前、密猟者が仕掛けた罠にかかっていたエルバを蓮が見つけ、家族で助け出した。母親ジャガーはどうやら密猟者に狩られたようだ。母を失い、お腹《なか》を空かせて森の中をふらふらしていて罠にかかってしまったらしかった。

前肢に怪我《けが》をしていたエルバを村の医者に診《み》せ、手当てをしてもらって家に連れ帰った。その夜から蓮は付きっきりでエルバの面倒をみた。哺乳瓶《ほにゅうびん》でミルクを与え、排泄の世話をし、一緒に眠った。

幸いエルバの怪我は完治した。

走り回れるほどに元気になったので、徐々に森の生活に慣れさせ、自然界で母のもとから独立すると言われる二歳時には森に還《かえ》した。だが野生に戻ったあとも蓮が忘れられないのか、エルバはちょくちょく小屋に戻って来た。時には蓮が眠るハンモックの下で眠ることもある。

蓮の匂いを嗅ぎつければ、さっきのように顔を出す。ジャガーの鳴き真似《レメダル》で呼んでも駆けつけてくれる。

蓮の体の大きさを優に超す成獣になったいまでも、エルバが蓮にとって弟分であることには変わりがなかった。

エルバは人間の言葉を話さないが、顔つきや瞳の虹彩、喉の鳴らし方、咆哮《ほうこう》の種類、ボディトークで考えていることは大体わかるし、エルバも蓮の気持ちをきちんと汲み取る。悲しい気分の時は寄り添って慰めてくれるし、うれしい時は一緒に跳ねて喜んでくれる。意思の疎通に困ったことは一度もなかった。

それからしばらくの間、いつものようにエルバとじゃれ合って遊んでいた蓮は、ふと異変を感じて上空を見上げた。

猿たちがキーキーと金切り声をあげて木から木へと飛び移っている。カカカッと鳴き声を響かせ、鳥が一斉に飛び立った。森がざわついている。

エルバもぴくっと耳を欹《そばだ》て、草藪のほうへ鼻面を向けた。

（なんだ？　人間？）

ジャングルのこんな奥地まで侵入してくる人間は滅多にいない。一瞬アンドレかとも思ったが、兄ならばこんなふうにエルバが警戒することはない。

（ひょっとして……密猟者？）

その可能性に思い当たった蓮が、ぴりっと神経を張り詰めて聞き耳を立てていると、ほどなく枯れ葉や小枝を踏み締める音が届き、話し声が聞こえてきた。

「本当にこんなまともに道もないような奥地に人家があるんですかね？」

「集落の人間がそう言っているんだから間違いない」

男の声だ。しかも複数。

エルバがグォルルル……と威嚇《いかく》の唸り声を出す。それを「しっ」と黙らせ、蓮はエルバを側の茂みの奥に押しやった。

「いいか？　おまえはここにいろ。俺がいいと言うまで出てきちゃダメだぞ」

蓮の言い聞かせに、エルバは不承不承といった体《てい》で従う。

エルバを茂みに隠した蓮は、近くにあったカスターニャの樹にしがみつき、するすると登り始めた。日常的に樹に登っているので、木登りは蓮にとって「地上を歩く」のとあまり変わらない。あっという間に樹上まで登りきり、葉の陰に身を隠して侵入者たちを待った。

さほど待たずに、ザクッ、ザクッと枝や葉を山刀で薙《な》ぎ払《はら》いながら、ミリタリールックの男たちが姿を現す。先頭に立って山刀を振るっているのはインディオの男だ。おそらく現地ガイドだろう。ガイドの後ろに三人の男が見える。

一人は小山のような大男で髪を短く刈り上げ、顎鬚《あごひげ》を生やしていた。もう一人は小柄でツンツンと毛先が立った金髪。最後の一人はがっしりとした長身で黒髪の男。遠目には日系人に見える。インディオ以外の全員がライフルを持っていた。

（やっぱり密猟者？）

エルバの母親もそうだったが、毛皮のために乱獲され続けたジャガーは、現在絶滅の危機にある。森を遊び場とする蓮でさえ、エルバ以外のジャガーを見かけたのは数回だ（その中には明らかにエルバの子供と思しき幼いブラックジャガーを連れた牝もいた）。

だが、数が少ないことが却《かえ》って希少価値を生み、闇市場での取引価格はうなぎ登りらしい。そのため、法で厳しく禁じられているにもかかわらず密猟者が絶えない。

（懲りないやつらだ）

蓮の闘志に火が点いた。金のために友達を狩るやつらは敵だ。このあたり一帯は自分の庭だというテリトリー意識もある。

父を呼びに行っている時間はないから、ここは自分が追い払うしかない。

（二度と森に足を踏み入れないよう痛い目に遭わせてやる）

蓮は鳴き真似で猿を呼び寄せた。すぐにザザッと葉を揺らして三十匹近い猿たちが集まってきた。『モノ・ネグロ』と呼ばれる黒い毛並みを持つ猿だ。

蓮が木になっているカスターニャの実をもぎ取り、眼下の男たちに向かって投げつけると、猿たちも真似をして実をもぎ、投げつける。

上空からバラバラと振ってくる硬い実に、地上の男たちが「いてっ」と声をあげる。

猿たちは手当たり次第に投げていたが、その無作為な攻撃に紛れ、蓮は抜群のコントロールで男たちの肩や腕にカスターニャを命中させていった。

「痛っ……」

「なんだ⁉」

「木の実？」

口々に叫んだ男たちが上空を見回すが、樹冠に隠れている蓮の姿は見えない。

次第に興奮してきた猿たちが、歯を剝き出しにして金切り声をあげた。

「キーッキーッ」

「猿か？」

「『モノ・ネグロ』、カスターニャの実が主食の猿です。自分たちのテリトリーを侵害されたと怒っている」

ガイドのインディオが説明する声が聞こえる。

「くそっ」

舌打ちした金髪が手に提げていた鞄《かばん》のようなものを置き、ライフルを構えた。銃口を木の上に向ける。

狙われた猿たちがキキーッと甲高い声を出した。

「威嚇して追っ払ってやりますよ」

金髪の声に蓮は唇を嚙んだ。威嚇射撃が自分に当たることはまずないだろうけど、たくさんいる猿には当たってしまう可能性がある。

それに、発砲に驚いたエルバが飛び出してきてしまうかもしれない。

焦燥に駆られた蓮は、猿たちに「投下やめ」の合図を出した。蓮が合図を出すのとほぼ同時に、黒髪の男が金髪の構えるライフルの銃身に手を置き、「よせ」と止める。

背が高くてがっしりとした体つきの男だ。

「あいつらにしてみれば俺たちは侵略者だ。攻撃されても仕方がない。……それにしても集団で攻撃するとは賢い猿だな」

肩にライフルを担《かつ》いだその黒髪が、顎に手をやる。しばらく思案げな面持ちで顎をさすっていたが、おもむろに顔を仰向けた。上を向いたまま、なにかを探すようにぐるりと頭を回転させる。

重なり合った葉の陰に身を潜め、男の様子を窺《うかが》っていた蓮はぴくっと肩を揺らした。

男の動きがぴたりと止まり、鋭い視線が自分を射貫《いぬ》いたからだ。

「………！」

目と目が合った――気がした。

(まさか……見えてないよな？)

ジャングルに同化した自分は簡単には見つけられないはずだ。

そう思ったが、男の灰褐色の瞳はこちらをまっすぐ見据えて動かない。

息を呑んでいると、男がゆっくりと右手を持ち上げた。その手を蓮に向かって差し伸べる。そうして「来い」というふうに招いた。

「撃たないから下りてこい」

よく通る低音で呼びかけられた蓮は、じわじわと両目を見開く。

（……なんで？）

なんで俺がここにいるってわかったんだろう？


——二時間前。

アンデス山脈に端を発し、大西洋に注ぐ全長六千数百キロともいわれる大河——アマゾン川。

ヘリコプターの上空から見下ろすアマゾン川の支流は、鬱蒼と生い茂る密林に棲《す》むボアのようだった。まさしく緑の絨毯《じゅうたん》の上をくねくねと這う大蛇だ。

「懐《なつ》かしいですね、少佐。演習でパラシュート落下したのを思い出しますよ」

操縦席《コクピット》からミゲルが話しかけてくる。金髪にヘッドセットをして操縦桿《そうじゅうかん》を握る男は、鏑木《かぶらぎ》が軍の親衛隊に所属していた時代の部下だ。イタリア系移民の血を引く陽気な男で、現在は除隊して民間人となり、鏑木の下で働いてくれている。いまだに親衛隊時代の癖が抜けず、鏑木を階級で呼ぶのはご愛敬だ。

「そういや一度パラシュートが木に引っかかって、逆さ宙づりになったよな。頭に血が上ってあれはきつかった」

「あーあの時、大変だったっスよね。三人がかりで少佐を下ろして……なぁ、エンゾ」

後部座席の鏑木の傍《かたわ》らで、髭面《ひげづら》の大男が「ああ」とうなずいた。カーキのシャツの上にミリタリーベストを付けているこのエンゾも元軍人だ。かつては鬼軍曹と恐れられ、鏑木も新兵時代に随分《ずいぶん》と扱《しご》かれた。鏑木が退役した時に一緒に軍を辞め、ミゲル同様に右腕となってくれている。

二人の優秀な退役軍人が影のように背後を守ってくれているおかげで、鏑木は安心して仕事に没頭できる。実に心強い仲間だ。

ミゲルの隣には、今回案内役を頼んだインディオのパコが座っている。ヘリコプターがめずらしいのか、窓に張りつくようにして眼下の風景を見下ろしていた。

「そろそろ……このあたりだと思うんですが」

計器を睨《にら》んでいたミゲルがつぶやく。鏑木は窓から下を覗き込んだ。

鬱蒼たる緑を縫うように蛇行する川と砂州。川の色は濁った褐色だ。

「あそこに小さな集落が見えるな。パコ、あのあたりか？」

指で示しながらの鏑木の問いに、パコが「そうです」と答えた。

「フンゴ族の子孫たちの集落です」

「よし、まずはあの集落で情報を集めよう」

鏑木がそう言うと、パコは「私が集落に入って聞いてきますので、皆さんは少し離れた場所で待っていてください。彼らは部外者にデリケートです」と返してきた。

確かに自分たちのような軍人上がりが突然ズカズカと立ち入ったら、住民たちに要《い》らぬプレッシャーを与えてしまうかもしれない。

「わかった。頼む」

「ここから先に、ヘリが降りられそうな場所はなさそうですね」

ミゲルが言うとおり、眼下の密林はみっしりと樹木が密集しており、些《いささ》かの隙間も見当たらない。川の周辺にも樹木が生い茂っていて、ヘリコプターが降りられそうな川原もなかった。

「そうだな。少し戻ってさっき見えた砂州に降りてくれ」

「了解」

Uターンしたヘリコプターが徐々に降下し始めた。みるみる緑の絨毯が近づいてくる。遠目には単なる緑の濃淡でしかなかったのが、近づくに従い樹冠が重なり合っている様子が見て取れるようになってきた。ここまで来ると川の様子も目視できる。乾季《まち》のせいか、水の流れは比較的穏やかだ。

降下したヘリコプターが、湿った砂を撒き散らしながら砂州に着地する。ブレードの回転停止を待って、まずは鏑木とエンゾ、そしてパコが降りた。最後にチタン製のアタッシェケースを手に提げたミゲルが砂州に降り立つ。四人が揃ったところでパコが口を開いた。

「皆さん、私が集落で聞き取りをしてくる間、ここで待っていてください。くれぐれもジャングルの中には入らないように」

「どれくらい待てばいい？」

鏑木の質問には「おそらく一時間ほどです」との答えが返る。

「一時間かぁ。俺たち演習で野営もしてるし、ジャングルは素人《しろうと》じゃないからさ。そのあたりを散歩するくらいいいんじゃないの？」

ミゲルの提案にパコが厳しい表情で首を横に振った。

「軍のベースキャンプがあるようなジャングルとは違います。このあたりにはまだジャガーもいますし、ボアだっている」

「ジャガー？」

驚いた。下流のベースキャンプ周辺では野生の猿や鳥を見るくらいで、大型の肉食獣はまったく見かけなかった。

「そこに足跡がある」

パコが示した砂地には、丸い足跡が点々と描かれていた。足跡はジャングルの中へと続いている。

「マジかよ⁉」

ミゲルが怯《おび》えた声を出した。元親衛隊のエリートが形無しだ。

「大丈夫。ジャガーが日中人前に姿を見せることはまずありません。それより問題はボアです」

「ボア……大蛇か」

「数年前ですが、もう少し下流で欧米人の旅行者がボアに襲われました。一人で森に入った命知らずの若者は、出くわしたボアに無謀にも近寄り、たちまち巻きつかれた。体の関節をすべて砕かれ、もがき苦しみながら死んだ」

淡々と語るパコに、ミゲルが顔を歪めて「……マドレミーオ」とつぶやく。鏑木も顔をしかめた。蛇が丸呑みするために獲物の骨を砕くのは知っているが、人間に置き換えるとかなりヘビーだ。

「わかった。勝手に森には入らない」

鏑木が片手を挙げて誓うと、パコが「川も駄目です。川にはワニとアナコンダがいます」と念を押してくる。

「川にも入らない」

やっと満足したようで、「では一時間後に」と言い置き、パコは一人立ち去った。

パコが戻って来るまで、簡易椅子を砂州に出し、座って待つことにする。

ミゲルは膝の上にアタッシェケースを置き、ベストのポケットから携帯ゲームを取り出した。エンゾはライフルの手入れを始める。鏑木は胸の前で腕を組み、目の前の川の流れを見つめた。

元軍人である自分たちにとって「待機」はさほど苦じゃない。訓練で忍耐力を鍛えられているからだ。

森からは、ひっきりなしにカカカッ、キーキーキーと甲高い動物の鳴き声が聞こえてくる。

(しかしジャガーが出るとは驚いたな)

開発が進むセルバ——熱帯雨林地域——は、下流域の大部分が農地や牧場に変わったが、このあたりにはまだ太古の自然が残っているようだ。

ここからさらに上流の奥地には、かつて幻の植物「ブルシャ」が群生しているという言い伝えがあった。その葉を煎《せん》じて飲むと幻覚を見ると言われ、インディオたちが宗教的儀式や麻酔の代用品として用いたらしい。

幻の植物を求め、一時期フォレスト・レンジャーが大挙して押し寄せたが、ブルシャを手にして戻って来た者はいなかった。大半は毒蛇や毒虫の洗礼に這々《ほうほう》の体《てい》で逃げ出し、中には猛獣や疫病にやられ、命を落とした者もいる。いまはもうブルシャは伝説に過ぎなかったと言われ、フォレスト・レンジャーも訪れない。

そんな未開の地――緑の魔境に、鏑木たちが足を踏み入れたのには理由がある。

――イネスを捜せ。

二週間前、シウヴァの当主であるグスタヴォから下った指令。

主人の命を受けた鏑木は早速、十一年前に日本人と駆け落ちしたイネスの捜索に取りかかった。

まずは民間の調査会社に依頼したが、十一年のブランクが障害となり、芳《かんば》しい結果を得られなかった。

仕方なく、古巣である軍の秘密情報局に働きかけたが、情報局のネットワークを以《もっ》てしても行方は摑めず、イネス捜しは暗礁《あんしょう》に乗り上げた。

そこで鏑木は自ら捜索に乗り出した。

当時、イネスと日本人青年の恋愛に反対したグスタヴォは、娘を半監禁状態に置いていた。そのような状況下で駆け落ちに至るには、第三者の協力が必要不可欠であったはずだ。

その推測に則《のっと》り、イネスの失踪後に屋敷を辞めた使用人の消息を辿っては虱潰《しらみつぶ》しに当たっていった。

地道に一人一人訪ね歩き、最後に残ったのがイネスを育てた乳母だった。

彼女はイネス出奔の数ヶ月後、『パラチオ　デ　シウヴァ』を去った。退職後はハウスキーパーとしていくつかの屋敷を点々としたのちに目を患《わずら》い、五年前、ハヴィーナを離れていた。

その後の消息を突き止めた鏑木は、生まれ故郷の村で一人暮らしをしている彼女を訪ねた。

まだ鏑木が十代の頃、シウヴァの屋敷に遊びに行った際に、イネスの乳母である彼女ともよく顔を合わせていた。

乳母は古い知人の突然の訪問に驚きつつも、粗末な小屋に鏑木を迎え入れてくれた。

「セニョール・カブラギ……お懐かしい」

そう言って鏑木の手を握り締める乳母の目は光を失い、一点を見つめたまま動かない。

「お顔を見られないのが残念です。ヴィクトール坊ちゃんがどのように凛々《りり》しく成長されたのか拝見したかった」

「ひさしぶりだな。目は気の毒なことをした」

「神のご意志ですからお気になさらず。本日はどういったご用件でしょうか」

鏑木は乳母に事情を話した。ハヴィーナを離れて久しく、また目の見えない彼女はニュースを見ておらず、ニコラスの死を知らなかった。

ニコラスの死に驚き、深く悲しんだあとで、「グスタヴォ様がイネス様を……」とつぶやく。

「そうだ。捜しておられる。遺《のこ》されたニコラスの娘はまだ幼い。翁《おう》は、イネスと和解してシウヴァを継がせたいとお考えだ。イネスの行方を知っているのならば教えて欲しい」

乳母はしばらく思案の表情を浮かべていたが、やがて重い口を開いた。

「十一年前、イネス様がお屋敷を抜け出す手伝いをしました」

「やはりそうだったのか。ではイネスとマナブの行方を？」

身を乗り出す鏑木に、乳母が答える。

「駆け落ちのあと、お二人はハヴィーナから遠く離れたセルバの森でひっそりと暮らしておられました」

「いまも二人はセルバにいるのか？」

「いいえ……」

乳母は沈痛な面持ちで首を横に振った。

「マラリアで亡くなられました。もう十年も前のことです。慣れない生活で体調を崩されたのでしょう。……本当にあっという間でした。その後間もなく跡を追うようにセニョール・カイヤも……やはりマラリアでした」

衝撃的な事実に鏑木は言葉を失った。

イネスが……死んだ？

ではシウヴァの後継者は……。

茫然自失の鏑木を前に、乳母がしみじみとした口調で「旦那様がイネス様をお許しになるお気持ちになられたのは本当によかった」と言った。

「イネス様は亡くなられる直前まで、旦那様のことを気にかけていらっしゃいました。許婚《いいなずけ》との結婚式の日取りが迫っており、選択肢が他になかったとはいえ、旦那様を裏切る形になってしまったことをずっと辛く思っていらした」

「…………」

声を失っていた鏑木は、続く乳母の発言に耳を疑った。

「……イネス様はお子様を遺して逝かれました」

「イネスに子供が⁉」

思わず大きな声が出る。

「はい。実は……駆け落ちされた時にはすでにセニョール・カイヤのお子様を身ごもっていらっしゃったのです」

「それでか……」

出奔の謎がいま解けた。思慮深いイネスと駆け落ちという行為に長年違和感を感じていたが、強硬手段に打って出なければならないほどに、当時の彼女は追い詰められていたのだ。

「それでその子供は？」

「私の遠縁が育てています。十一年前、イネス様とセニョール・カイヤの身柄を、旦那様の手が及ばないであろう辺境に住むその家族に預けたのです。お二人が亡くなったあとも、彼らは遺されたお子様を自分たちの子供として育ててきました。今年で十歳になります。男の子です」

「……男の子」

神に感謝の祈りを捧げたい気持ちだった。

神は我々を見捨てていなかった。

イネスの息子。その子供は紛う事なきシウヴァの跡継ぎだ。

「名前は？」

「イネス様とセニョール・カイヤが『レン』と名付けました。日本語で『蓮』を意味する名前だと聞いています」

「……蓮」

ジャングルの湖に咲く、神秘的な蓮の花を思い浮かべる。

父親の国の名前を授けられたイネスの息子――蓮。

日系五世で「剛《ごう》」という日本名を持つ鏑木にとっても、縁《えにし》を感じずにはいられない名前だ。

「レン様は育ての親にとても懐き、貧しいながらも家族四人で仲良く暮らしております。旦那様のお怒りが解けない限りは、このまま出自を知らずに暮らすほうが幸せなのかもしれないと思っておりました。しかしニコラス様が亡くなり、旦那様がイネス様の勘当を解くおつもりであれば……レン様は本来あるべき場所……血の繋《つな》がりのある家族のもとへ帰るべきなのかもしれません」

そう告げた乳母から家族が住む場所を聞き出した鏑木は、腹心の部下二名とジャングルに詳しいガイドを連れて、この地に降り立った。

シウヴァの跡継ぎを迎えるために――。

（一体どんな子供なのか……）

川の流れを見つめながら、まだ見ぬイネスの息子に思いを馳せていると、傍らのミゲルが声を出した。

「おっ、戻って来た」

簡易椅子から立ち上がり、三人でパコが駆け戻って来るのを待つ。

「見つかったか？」

鏑木は急いた口調で問《と》い質《ただ》した。

「ここから徒歩で三十分ほどの奥地に家族で住んでいるそうです」

「そうか……よかった」

乳母が遠縁の家族と最後に連絡を取り合ったのが二年前だったので、その後転居していたらふたたび消息不明になるところだった。

安堵した鏑木は、シウヴァの跡継ぎが住むという森を見据え、一同に告げた。

「ジャングルに入ろう」

地元民から聞き出した場所を目指し、毒蛇や毒虫に注意を払いつつ、ジャングルの中を四名で彷徨《さまよ》うこと三十分。

もわっとした熱気が足許から立ち上り、湿気を含んだ重苦しい空気が全身にまとわりつく。

水分を補給するそばから汗になって流れ出てしまい、汗と一緒にじわじわと体力が奪われていく。

なにしろ道らしき道も標識もないジャングルだ。本当に目的地に向かっているのかどうかさえ、確信が持てない。どこまで行っても同じような緑と樹木ばかりなので方向感覚もおかしくなってくる。

迷ったとは思いたくなかったが……。

「本当にこんなまともに道もないような奥地に人家があるんですかね？」

「集落の人間がそう言っているんだから間違いない」

ミゲルが疑問を呈し、鏑木がそう答えた数分後だった。

頭上から硬い実が雹《ひょう》のようにバラバラと降ってきたのは。

「いてっ」

「痛っ……」

「なんだ⁉」

「木の実？」

とっさに頭を腕で庇い、上空を見上げた。数え切れないほどの黒い猿を視線に捉《とら》える。猿は木の幹に摑まったり、枝にぶら下がったりしていた。

「キーッキーッ」

興奮した猿たちが歯を剝き出しにして金切り声をあげる。

「猿か？」

「『モノ・ネグロ』、カスターニャの実が主食の猿です。自分たちのテリトリーを侵害されたと怒っている」

パコの説明にミゲルが「くそっ」と舌を打ち、アタッシェケースを地面に置いた。ライフルを構えて銃口を木の上に定める。

「威嚇して追っ払ってやりますよ」

「よせ」

鏑木はミゲルのライフルの銃身に手を置き、短気な部下を制した。

「あいつらにしてみれば俺たちは侵略者だ。攻撃されても仕方がない。……それにしても集団で攻撃するとは賢い猿だな」

いつの間にか猿は大人しくなっていたが、どうもしっくりこない。

違和感を覚えた鏑木は、無意識にも顎に手をやり、さすった。考え事をする時の癖だ。

そもそも猿にしてはコントロールがよすぎる。的確に肩や腕を狙ってくるあたり、ライフル使用を阻止しようという明確な意図を感じた。

それに、一斉に攻撃が始まり、ぴたりとやむあたりは、統制が取れすぎている。

どこかにリーダーのボスザルがいるのか？

しばらく思案げな面持ちで顎をさすっていた鏑木は、おもむろに顔を仰向けた。逆光に黒く塗り潰された樹冠をぐるりと見回す。最初はキーキー歯を剝く猿しか認識できなかったが、徐々に目が慣れてきて、重なり合う葉の陰にひっそりと隠れている別のものが見えてきた。

一筋の淡い木漏れ日に浮かび上がる細くて小さなシルエット。

ボスザル？

見定めるために両目を細める。

いや……人間だ。

人型のシルエットをじっくりと観察した末に結論を出した。

子供だ。

確信を得るとその子供に向かって右手を差し伸べる。手で招き、「撃たないから下りてこい」と呼びかけた。

「…………」

返答はない。森はさっきまでの騒々しさが嘘のようにシンと静まり返っていた。

他の三名は、上空に手を差し出す鏑木と、その鏑木の視線の先を不思議そうに見比べている。

動かない子供に、鏑木はもう一度繰り返し呼びかけた。

「大丈夫だ。危害は加えない」

安心させるように根気強く話しかける。

「大丈夫だから……下りておいで」

「少佐？　誰に話しかけてるんですか？」

訝《いぶか》しげなミゲルには構わず一歩前に出た。さらにもう一歩を踏み出したところでパキッと小枝が鳴る。するとその音と連動するように、右手の茂みがガサッと音を立てた。茂みの向こうから、低い唸り声が聞こえてくる。

「グォルルル……」

四人にぴりっと緊張が走った。

「グォルルル……」

全員が息を潜め、唸り声の発信源を凝視する。

茂みの中に獣がいる。

唸り声から推し量るに、おそらく大型獣だ。

鏑木は息を止めたまま、肩からそうっとライフルを下ろした。銃身を掴み、ライフルを構えようとした刹那《せつな》、茂みの中から漆黒の大型獣が飛び出してくる。

パコが叫ぶ。

「ジャガーだ！」

跳躍したジャガーが自分に飛びかかってくる映像がスローモーションで見えた。だが実際には電光石火の出来事で、どんっと強い衝撃を感じた一瞬後には、鏑木は地面に叩きつけられていた。ライフルは手が届かない場所に吹っ飛んでいる。

仰向けの胸と腹にぐっと圧力がかかり、げほっと咽《む》せた。

「……く……っ」

薄く目を開いた視界に、自分にのし掛かっているブラックジャガーの黄色い対《つい》の眼が映り込む。顔が徐々にアップになり、首筋にフーッと熱い息がかかる。背筋がぞくっと震えた。

「少佐！」

叫んでエンゾがライフルを構える。照準をジャガーの頭に定め、セーフティを外し、いままさにその指が引き金を引こうとした時。

「撃つな！」

凜と澄んだ声が森に響き渡った。

まだ声変わり前の子供の声だ。エンゾがぴくっと身じろぐ。

「エルバ！　離れろ！」

驚くべきことにジャガーは命令に従った。押し倒していた鏑木の上からのっそりと身を退《ひ》く。

ジャガーと立ち替わるように、木の上からするすると猿みたいな身のこなしで声の主が下りてきた。

最後はぴょんっと勢いよく飛んで、地上に下り立つ。

瞬時に、彼こそが捜していた少年だとわかった。

十歳と聞いていたがもっと幼く見える。

首まわりや袖ぐりが伸びきったランニングとくたびれた短パンから、それぞれ棒きれのように細い手足がひょろひょろと伸びていた。素足にボロボロのスニーカー。櫛《くし》など通したことがないのだろうざんばら髪。褐色に陽焼けした肌はあちこち傷だらけだ。

貧しい身なりをしていても、少年には独特のオーラがあった。

勝ち気そうな眉の下の黒い瞳は生き生きと輝き、痩せた体から生命力が満ち溢れている。

(目の輝きがイネスに似ている……)

イネスは美しい碧《みどり》の瞳を持っていた。瞳の色と同じエメラルドを好んで身につけていたものだ。髪は亜麻色だったが、少年は父親譲りの黒髪。瞳も黒かった。

しかし、見る者を魅了して離さない瞳の強さは明らかに母譲りだ。

だからというわけではないが、鏑木は一目で少年に魅せられた。

強い輝きを放つ双眸《そうぼう》に魅入られる鏑木を、少年がまっすぐ見返してくる。

その瞬間、背筋にびりっと電流が走った。

それは二十七年間の人生で、生まれて初めて知る感覚だった。

いままさに、運命の相手と出会った。

まだ話したこともない。どんな性格かも知らない。

それでもこの少年にになら自分の残りの人生を捧げてもいいと、なぜか思ったのだ。

ブラックジャガーが少年にゆったりと歩み寄り、漆黒の体を擦りつけ、甘えるようにグルグルと喉を鳴らす。まるで飼い主に懐く大きな猫だ。

映画のワンシーンさながらの光景を視界に立ち上がる。少年とブラックジャガーに歩み寄った鏑木は、自分の鳩尾《みぞおち》までの背丈しかない彼に確認した。

「きみは蓮だな?」

少年がぱちぱちと両目を瞬《またた》かせる。

「なんで……俺の名前」

不思議そうに問い返す少年に、鏑木は自分がいまここにいる理由を告げた。

「俺たちはきみを迎えに来たんだ」

II

——俺たちはきみを迎えに来たんだ。

そう告げた長身の男は、「ヴィクトール・剛《ごう》・鏑木《かぶらぎ》」と名乗った。

闇のような黒髪と黒い眉、強い光を放つ灰褐色の目が印象的な男らしい顔立ちをしており、がっしりと筋肉質の体にミリタリールックが板に付いている。

その名前から、第一印象どおりに日系人だとわかった。

それにしても不思議な男だ。

地元民でもないのに、男はジャングルと同化した自分を見つけた。兄のアンドレだって簡単には見つけられないのに……。

その上なぜか自分の名前を知っていた。

大体、迎えに来たってどういう意味だ？

インディオは「パコ」。金髪と髭《ひげ》の大男は、それぞれ「ミゲルとエンゾだ」と紹介された。

着ているもののせいかもしれないが、インディオ以外の三人はなんとなく雰囲気が似ている。ひょっとしたら軍人かもしれないと蓮《れん》は思った。さっきライフル銃を構えた時の動きがすごくスムーズで、訓練されている感じがしたからだ。

「きみの両親と話がしたいんだが、家まで案内してくれないか？」

そう切り出してきた謎の男——鏑木を黙って睨《にら》みつける。

どうやらこの男がグループのリーダーらしいが、自分の名前を知っていたからといって敵じゃない証拠にはならない。

警戒感をあらわにする蓮をしばらく見下ろしていた男が、逞《たくま》しい肩を竦《すく》めた。

「毛を逆立てた山猫みたいだな」

「…………」

「そう警戒しなくてもいい。俺たちは悪者じゃない。敵でもない」

「敵……じゃない？」

「味方だ」

蓮は首を左右に振り、はっきりとした声で告げる。

「信用できない」

すると男がふっと口許を緩めた。

「確かに……いきなり現れて信用しろって言うほうが無茶だ。——ミゲル、エンゾ」

金髪と髭の大男が「はい」と応じる。

「銃器を捨てろ」

「はぁっ⁉」

金髪が脳天から声を出した。

「なに言ってんスか。ジャングルで丸腰なんて自殺行為っスよ！」

「いいからライフルを置け」

抗いを許さない低音で命じるなり、鏑木自ら腰のホルダーからサバイバルナイフを引き抜いて地面に置いた。すでに鏑木のライフルはエルバが吹っ飛ばした時のままの状態で、少し離れた叢《くさむら》に転がっている。

鏑木に倣《なら》い、髭の大男も肩に掛けていたライフルと腰のナイフを地面に置いた。仲間が武器を手放したのを見て、金髪も渋々といった顔つきでライフルを置く。

「あのアタッシェケースは武器じゃない」

金髪が持っている銀色の四角い鞄《かばん》を指して鏑木が言った。

おそらく無線だろう。前にフォレスト・レンジャーが持っているのを見たことがある。

「これは携帯させて欲しい」

蓮は了解の印に首を縦に振った。

「パコ、悪いが銃器と一緒にここに残ってくれ」

「わかりました」

鏑木の指示にガイドのインディオがうなずき、三人分のライフルとナイフを自分の足許に集めた。

鏑木が蓮を振り返り、なにも持ってないことを証明するように両手を挙げてみせる。

「見てのとおりだ。誓って、きみときみの家族に危害は加えない」

「……………」

「信じてくれ」

男の真剣な顔を、蓮はじっと食い入るように見つめた。男も揺るぎなく蓮を見返してくる。くっきりと太い眉の下の灰褐色の目は、いままで見た誰とも違った。

意志の強さを感じるのに、森の湖のように淀みなく澄みわたっている。

野生の動物に近い――嘘がない目だ。

正体は不明だけど、男が主張するとおり敵じゃないことは直感でわかった。

自然の驚異に満ちたジャングルの生活で一番大事なのは理屈や道理じゃない。経験と直感だ。

蓮はいままで自分の勘を信じることで、大自然が巻き起こす予測不能なアクシデントから身を守ってきた。

「……わかった」

こくりとうなずくと、鏑木が唇を横に引く。すると精悍《せいかん》で野性的な面差しが一変して人懐《ひとなつ》こい印象に変わった。さっき会ったばかりなのに、まるで随分《ずいぶん》昔から知っているみたいな錯覚を起こしそうになる。男が持つ独特な「雰囲気」に、蓮は警戒を深めた。

（……気を許すな）

自分に言い聞かせる。

敵じゃなくても、正体と目的がわからない以上は気持ちを許すべきじゃない。

気を許すつもりはないが、自分が案内しなかったとしても、いずれはあのインディオのガイドが蓮の家を見つけ出すだろう。だったら男たちの目的が早くわかったほうがいい。

両親もそろそろ収穫の手伝いを終えて家に戻っている頃だ。

「ついてこい」

言うなり蓮はくるりと身を返した。エルバを引き連れて歩き出す。男たちもついて来た。

四人と一匹で歩き出して間もなく、背中から声がかかる。

「ひとつ質問してもいいか？」

蓮は足を止めた。すぐ後ろを歩いてきていた鏑木が横に並び、「そのジャガーだが」とエルバを顎《あご》で示す。

「エルバ？」

「そのエルバだが、きみが飼っているのか？」

半信半疑といった声色に、蓮は「飼ってなんかいない」と答えた。

「エルバは森に棲《す》んでいるし、食料だって自分で獲っている」

「そうか。……でも、きみの言うことは聞くんだな？」

「エルバは俺の言うことがわかるし、俺もエルバの気持ちがわかる」

蓮の説明に、金髪が「ジャガーと言葉が通じるって⁉」と素《す》っ頓狂《とんきょう》な声を出した。

「坊主、いくらジャングル育ちだからってそりゃないだろ？」

「ミゲル、口を慎め」

鏑木が部下を窘《たしな》め、蓮は金髪に言い返した。

「嘘じゃない」

傍《かたわ》らに寄り添う忠実な弟分の首筋を撫でると、エルバがグルグルと喉を鳴らす。

「エルバが子供の頃に密猟者の罠にかかって怪我《けが》をしていたのを助けた。怪我が治ったあとは森に還《かえ》したけど、いまでも友達だし、弟みたいなものだ」

蓮の主張に耳を傾けていた鏑木が「……弟か」とつぶやき、なぜか複雑な表情をする。

しばらく蓮とエルバを黙って見下ろしていたが、やがて顔を上げた。前方を見据えて告げる。

「行こう」

男たちを引きつれ、ジャングルの中を十五分ほど歩き、かつて父の祖先が切《き》り拓《ひら》いた土地に辿り着く。

四角い平地の真ん中にぽつんと建つ高床式の小屋を見て、鏑木が感慨深げな声を出した。

「ここがきみの家か」

「うわ……屋根ってヤシの葉が載っかってるだけ？　ちょっと強い風が吹いたら一発で吹っ飛ぶんじゃね？」

さっきからいちいち騒がしい金髪を蓮は横目で睨む。

「飛ばされたらまたジャングルからヤシの葉を拾ってきて載せればいいだけだ」

「そのとおりだ。ヤシなら密林にいくらでもあるしな」

鏑木が蓮の頭に大きな手を載せ、ぽんと叩く。馴れ馴れしいその手を、蓮は頭をふるっと振って払った。

「触るな」

「失礼した。すまない」

鏑木はすぐに謝ったが、その口許は笑みを刻んでいて、本気で悪いとは思っていないのがわかる。子供扱いにイラッとした。だが鏑木はピリピリする蓮には構わず、「お父さんとお母さんは家の中か？」と訊いてくる。

「……たぶん」

そう答えた蓮が、両親の在宅を確かめるために梯子《はしご》を登ろうとした時だった。

「レン！」

名前を呼ばれて振り返る。焼畑に通じる獣道に、麦わら帽を被り、Tシャツに半ズボンという出で立ちの兄が立っていた。肩には農耕具を担《かつ》いでいる。アンドレがキャッサバ畑から戻って来たのだ。

「アンドレ」

アンドレの視線が見知らぬ男たちを順繰りに捉《とら》える。やがてその褐色の顔に不審な表情が浮かび上がった。

「誰だ？」

蓮が答えるより早く、鏑木が気安い口調でアンドレに話しかける。

「こんにちは。きみは蓮のお兄さんか」

「……そうだけど。あんたたちは？」

「俺は鏑木でこの二人はミゲルとエンゾだ。安心してくれ。きみたちの敵じゃない。俺たちはきみたちのご両親に話があってハヴィーナから来たんだ」

「ハヴィーナから？　父さんと母さんに話？」

アンドレが本当か？　といった顔つきで蓮を見る。

「さっきジャングルの中で会ったんだけど、俺の名前を知っていた。父さんと母さんと話がしたいから家まで案内してくれって」

「………」

説明してもなお、男たちに疑惑の眼差しを向け続けるアンドレに、蓮は「銃もジャングルに置いてきたし、悪いことはしないと思う」と言った。

謎の多い男たちだが、こんなジャングルの奥地までわざわざ両親に会いにやって来るなんて、重要な用件があることだけは間違いない。

アンドレもそう思ったのか、まだ完全には納得していない表情であったものの、「父さんを呼んでこいよ」と蓮を促した。

「俺はここで待ってる」

男たちを見張るつもりだろう。

「おまえもここで待ってろ」

蓮はエルバに言い置き、梯子を駆け登った。ベニヤの引き戸を開け、中に向かって「父さん！」と呼びかける。ややあって出先から戻っていた父が顔を出した。木綿の洗いざらしのシャツに穴だらけのデニムという格好だ。

「レン、どうした？」

「父さんと母さんと話したいって人が来てる」

「話したい人？」

怪訝《けげん》そうな面持ちで父が戸口から顔を出し、蓮の肩越しに地上を窺《うかが》い見《み》る。

ミリタリールックの訪問者三名を認め、不思議そうな声を出した。

「……知らない顔だな」

父にも見覚えがないようだ。

「ジャングルで会ったんだけど、俺の名前を知ってた」

「おまえの名前を？」

「どうしたの？」

父の後ろから母も顔を覗かせた。頭をスカーフで覆い、いつもの木綿のワンピースを着ている。

「あそこにいる三人組が俺たちを訪ねてきたらしい」

「えっ……私たちを？」

こんなところまで来客が訪ねてくることはまずない。知り合いでもないともなればなおのことだ。

父と母が顔を見合わせた。

父、母、アンドレ、蓮の家族に加え、小山のような大男、長身の鏑木、金髪の三人がいるせいで、家の中がいつにも増して狭く、窮屈に感じられる。

鏑木とエンゾは戸口をくぐって部屋に入ってからも、天井に頭がつかえないよう身を屈《かが》めていた。両親ともに小柄で、蓮も学校では小さいほうだ。アンドレは蓮よりずっと背が高いけれど、それでも男たちには遠く及ばない。三人のうち二人が前屈みになっているのを見て、蓮は初めて自宅の天井が低いことに気がついた。

いま、蓮たち一家と訪問者三名は向かい合う形で、動物の毛皮の敷物に腰を下ろしている。蓮は父とアンドレに挟まれていた。母は父の隣に座り、どことなく落ち着かない様子だ。エルバは家に上げられないので外で待たせていた。

改めて両親の前で「ヴィクトール・剛・鏑木と申します」と名乗った鏑木が、「このような突然の訪問になってしまって申し訳ありません」と謝罪した。

両親は硬い表情で黙り込んでいる。

「早速ですが本題に入らせていただきます。私はシウヴァ家当主の代理人です」

男が発した「シウヴァ」という名前に両親が息を呑んだ。どうやら聞き覚えがあるようだ。

蓮はちらっと兄を窺ったが、アンドレは自分同様に意味がわからないらしく、憮然とした表情のままだった。

「先日私は、かつてシウヴァ家に奉公していたルイザを訪ねました」

父が「ルイザを……」とつぶやく。また知らない名前だ。

「はい。ルイザにイネス様の居所を知っていたら教えて欲しいと頼みに行ったのです」

今度はイネス？

「しかし残念なことに、イネス様は十年前に他界され、この世に存在していなかった。だが不幸中の幸いと言うべきか、彼女は一粒種を遺《のこ》していった」

「…………」

父がぎゅっと膝の上の手を握った。土仕事で汚れ、節くれ立ったその手に気を取られていた蓮は、ほどなく自分に注がれる視線に気がついた。

顔を上げると、正面に座る鏑木がまっすぐ自分を見つめている。

（……なに？）

なにかを躊躇《ためら》うような間を置いた鏑木が、重々しく言葉を継いだ。

「イネス様が遺した一粒種。それが蓮様です」

男の発言を受けて、その場の視線が一斉に自分に集まる。蓮はぴくっと肩を揺らした。

——俺？

自分が両親の子供ではないこと、兄のアンドレと血の繋《つな》がりがないことは物心がついた時にはすでに知っていた。

自分と自分以外の家族はあまりにも顔かたちが違う。アンドレはどちらかというと父親似だけれど、母親の要素も持っている。でも自分はどちらにも似ていない。

どんなに陽に焼けても、蓮の肌の色は根本的に家族の肌色と違った。だからといって疎外感を感じたことはない。両親は実子のアンドレと分け隔てなく自分に愛情を注いでくれたし、アンドレも実の弟として接してくれたからだ。

六歳の頃、本当の両親は自分がまだ赤ん坊の頃にマラリアで死んだと聞かされた。それ以上のことは知らされなかったし、蓮も訊かなかった。特に知る必要を感じなかったからだ。

(そのイネスっていう人が、俺の死んじゃった母親ってこと?)

まだ実感が湧かずに両目をぱちぱちさせていると、鏑木がふたたび口を開く。

「シウヴァ家の当主であるグスタヴォ・シウヴァ氏は、イネス様のお子様である蓮様を引き取りたいと望んでいます」

「……なぜまた急に?」

黙って話を聞いていた父が疑問を口にした。

「いままでは捜しにも来なかったじゃないか」

低い声には憤《いきどお》りの感情が滲《にじ》んでいる。

「先月イネス様の弟君で次期当主と目されていたニコラス様が事故で亡くなられたのです。ニコラス様の遺児はまだ幼く、しかも女の子です」

わざとなのか、鏑木が淡々とした口調で説明した。父が顔をしかめて「そういうことか……」とつぶやく。

それきり父は黙り込み、沈黙が横たわった。

家族の誰もが突然の事態に当惑し、言葉を失っているようだ。

当事者である蓮も激しく混乱していた。

跡取り？　引き取る？　なんだよそれ……。

重苦しい沈黙を打ち破るように、鏑木が「ミゲル」と部下を呼んだ。ミゲルが黙って膝の上のアタッシェケースを鏑木に渡す。受け取った鏑木は、パチンパチンと留め金を外した。

横倒しにして蓋《ふた》を開け、くるりと回転させる。中にはびっしりと札束が詰まっていた。

「シウヴァ家当主より、いままで蓮様を育ててくださったことに対する感謝の気持ちです」

「………っ」

生まれて初めて見る大量の紙幣に蓮は両目を大きく見開いた。

両親もアンドレも驚きのあまりに息を止めている。

物々交換と自給自足で成り立つ生活では、硬貨すら見ることは稀だ。

「もちろん蓮様にかけていただいた愛情や時間はお金で換算できるものではないとわかっています。ですがひとまず、十年分の養育費としてお納めください」

ずいっとアタッシェケースを押し出され、四人同時に体を後ろに退《ひ》く。

「………」

家族で三十秒近く札束を凝視していただろうか。それまで黙っていたアンドレが不意に大きな声を発した。

「ふざけんなっ！　ずっとほったらかしにしてたくせに、跡継ぎが死んだとたんにレンを金で買い取ろうってのかよ⁉」

拳《こぶし》を握り締め、すっくと立ち上がる。

「レンは俺の弟だ。シウヴァなんかに渡さない！　レン、おまえだって行きたくないだろ⁉」

兄に同意を求められ、蓮もこくっと首を振る。

そんなの当たり前だ。家族とエルバがいるここから――ジャングルから離れたくなんかない！

「行きたくない」

声に出してはっきりと意思表示する蓮に、意外にも正面の鏑木は「そうだろうな」と同意した。

「俺だってすぐに色よい返事がもらえるとは思っていない」

蓮の返答を予期していたかのような落ち着いた声を落とし、父と母のほうに視線を向ける。

「お気持ちは重々お察しします。大切に育ててきた息子さんを引き取らせて欲しいなど、勝手な申し出であることもわかっています。しかしシウヴァの存続がかかっている以上、我々もそう簡単に引き下がることはできません。今回は話を聞いていただくだけで充分です。じっくりとご家族で話し合っていただき、次の訪問時に返事を聞かせていただければ……」

「次に来たって返事は変わらない！」

アンドレが強い口調で鏑木の言葉を遮る。

「だから来ても無駄だ！　二度と来るな！」

叫ぶなりアタッシェケースの中に手を突っ込み、摑んだ札束を投げつけた。

「こんなものいらないっ！　帰れ！」

鏑木の肩にぶつかった札束の封が破れ、紙幣がバラバラと舞い散る。兄の激昂《げっこう》に蓮は息を呑んだ。だが鏑木は微動だにせず、表情も変えない。動じない相手に苛立ちが募ったらしく、アンドレが別の札束を摑んだ。

「アンドレ、よせ」

もう一度札束を投げつけようとする息子を父が止める。

「でも父さん！」

「座って落ち着きなさい」

父に窘められたアンドレが、ぐっと激情を堪《こら》えるように口を曲げ、どすんと腰を下ろした。日頃はどちらかというと思慮深いアンドレが、こんなふうに感情を荒立たせるのを蓮は初めて見た。

呆気に取られていると、父が蓮を呼んだ。

「レン」

「な……なに？」

「いまのセニョール・カブラギの話は聞いていたな？」

「……うん」

父がなにを言い出すのか予測がつかず、やや緊張気味にうなずく。

「おまえの本当の両親はイネスとマナブといって深く愛し合っていたが、イネスの父親に結婚を反対され、十一年前に二人でこの地に逃げてきたんだ。父さんは、遠縁でイネスの乳母だったルイザから頼まれて二人を匿《かくま》った。いまはもうないが、当時はもうひとつ別の小屋があって、そこに二人を住まわせていた。イネスのお腹《なか》にはその時すでにおまえが宿っていた」

父が語り始めた自分の出生にまつわる話に、蓮は真剣な面持ちで耳を傾けた。

「そうしておまえが生まれた。おまえの両親はおまえをとてもかわいがって、大切に、一生懸命育てていた。だがおまえがまだほんの赤ん坊の時に、イネスがまずマラリアに罹《かか》って亡くなり、跡を追うようにマナブもマラリアで亡くなった」

　マラリアは蚊を媒介とした熱帯病だ。抵抗力がない子供が罹ると死に至ることが多い。たぶん、慣れないジャングルの生活で二人とも体力が落ちていたのだろう。

「俺たちは一人残されたおまえの家族になることにした。十年間、本当の子供として育ててきたつもりだ」

　父の言葉に蓮は黙って首を縦に振った。そのことは誰より自分がわかっている。

　血は繋がっていないけれど、蓮の両親はいまここにいる父さんと母さんだ。十年間育ててくれた二人だ。それ以外にいない。

　改めてそう確信した時、父が言った。

「レン、お祖父《じい》さんに会いに行きなさい」

　父の言葉に驚いて腰が浮き上がる。

「父さん？」

「父さん⁉」

　アンドレが大きな声を出した。

「そうね……そのほうがいいわ」

　ここまで無言を貫いていた母までが父の意見を後押しし、アンドレがいきり立つ。

「母さんまでなに言ってるんだよ！」

叫んで、強い非難の眼差しで両親を睨みつけた。

「レンよりこんな紙切れを取るのか⁉」

蓮もショックで目の前が暗くなった。体が一気に指先まで冷たくなる。

まさか……両親に限ってそんなことはないと信じたい。だけど……。

うちが貧しいのは事実だ。両親が毎日畑で陽が沈むまで働いても、一家四人が食べていくのがやっと。

地主に地代を払ったらほとんどなにも残らない。

父さんは畑仕事のせいで膝を悪くしたし、母さんは毎夜遅くまでヤシの葉を編む内職をしている。

アンドレはすごく勉強ができたのに上の学校に行けなかった。

でも……家の中はいつも笑顔が絶えなくて、少なくとも自分は幸せだった。

けれど両親は違うのだろうか？　本当は自分の存在が負担だったんだろうか？

いままで絶対だと信じていたものがガラガラと崩れていくような心許ない気持ちになり、いまにも溢れそうな涙を奥歯を食いしばって押しとどめていると、父が口を開いた。その浅黒い顔にはくっきりと苦悩が浮かんでいる。

「レン、おまえは本来ならばこんな辺境の農家の次男坊で終わる人間じゃない。父さんも母さんもわかっていたがおまえを手放したくなくて……真実から目を逸らしていた」

泣きたいのを我慢しているみたいに眉根をきつく寄せた母が、父の言葉に小さく首を振った。

「おまえには大きな可能性がある。だがここにいたら、おまえはその才能を開花させることのないままに終わってしまう」

母が何度もこくこくとうなずく。

「おまえには継ぐべきものがあるんだ。おまえを待っている人たちも大勢いる」

「……父さん」

「お祖父さんのところに行きなさい」

父と母の真意を知り、蓮は胸がじわっと熱くなった。

両親は自分をちゃんと愛してくれている。その上で、閉ざされた森にいてはいけない、もっと広い世界に出て行くべきだと背中を押してくれているのだ。

辛いのを我慢して……。

ただそう言われても、蓮はいまの生活に充分満足しているし、家族やジャングルと離れてまで別の世界を見たいと思わなかった。

シウヴァの跡継ぎなどといきなり言われても全然ぴんとこない。

そもそも『シウヴァ』がなんなのかもわからなかった。

わかるのは、たくさんのお金を持っているらしいこと。

蓮はアタッシェケースの中の札束を見た。

このお金にどれほどの価値があるのか、いまの自分には想像がつかない。

だけどきっとこれだけのお金があれば、アンドレを上の学校に通わせられるはずだ。

父さんや母さんもいまより楽な生活ができるに違いない。

町の大きな病院に行って父さんの膝を治療することもできるかもしれない。モーター付きの新しいカノアが買えたら、もっと楽に村と往き来ができる。

このお金があれば、血の繋がらない自分をここまで育てて、愛してくれた家族に恩返しができる。

お金と引き替えに自分を売るようなマネはしたくない。

けれどそれ以外に、まだ子供の自分が恩返しできる方法はなかった。

札束を睨みつけていた蓮は、ぎゅっと唇を引き結んで顔を上げた。正面の鏑木と目が合う。

その目が「じっくり考えろ」と言っているような気がした。

自分の心の葛藤を見守り、結論を待つ——男の灰褐色の瞳を見つめ返し、やがて心を決めた。

「お祖父さんに会う」

蓮の下した決断に、鏑木が意表を突かれたように両目を瞠《みは》る。

見開いていた目をゆっくりと細め、「いいのか?」と確認してきた。

答えるより先に隣のアンドレが蓮の腕を摑んだ。

「ダメだ！　そんなの絶対ダメだ！」

紅潮した顔で叫ぶ。痛いくらいの力で腕を握り込まれ、そこから兄の必死な気持ちが伝わってきて……

胸が痛くなる。

自分だって本当は行きたくない。

(でもこれはアンドレのためでもあるんだ)

アンドレは寝る前に必ず本を読んでいる。新しい本を買う余裕はないから、同じ本をボロボロになるまで繰り返し読んでいる。

そんなアンドレにもっと好きなだけ本を読ませてあげたい。上の学校に行かせてあげたい。

「アンドレ……会うだけだ」

蓮は兄を説得にかかった。

「どんな人なのかわからないとなにも決められない。だから一度お祖父さんに会ってみる」

顔を見たことも話したこともない祖父。

とにかく一度会ってみて、気が合わないようならすぐジャングルに帰ってくればいい。

兄を説得しながら、蓮は自分自身にもそう言い聞かせていた。


蓮の気持ちが変わらないうちにという思惑からか、鏑木が「そうと決まれば明日にでも」と言い出し、翌朝、祖父が住む首都ハヴィーナへ発《た》つことが決まった。

蓮としても、本音では気の乗らない祖父との対面はさっさと済ませてしまいたかったので、鏑木の申し出に異論はなかった。

しばらく学校を休まなければならないが、それについては父が先生に連絡してくれることになった。村の子供たちは収穫時に親の手伝いで休むことが多いので、学校側も慣れている。

その夜、鏑木たちは森に残していたインディオを呼び寄せ、蓮の小屋が建つ敷地内にテントを張って一晩を過ごした。

蓮たち一家は四人で夕食を摂《と》り、食後もしばしの別れを惜しみ、車座になって話をした。

その中でアンドレは一人、むすっと黙り込んでいた。

夕食にもほとんど手をつけなかった息子を、父が根気強く説得する。

これはレンのためなんだ。それにまだ離ればなれになると決まったわけじゃない。すべてはレンがお祖父さんに会ってからだ。レンの決断を待とう。結果的にもしレンがハヴィーナに住むことになったとしても、会おうと思えばいつでも会いに行ける。

父の説得が効いて、アンドレも不承不承納得したようだった。

両親は、鏑木が差し出した謝礼を頑として受け取らなかった。

養育費など受け取る筋合いはない。自分の子供を育てるのは親として当たり前のことだと父は言った。

そう言ってもらえてうれしい反面、蓮は困った。

それではなんのために自分が祖父に会いに行くのかわからない。

恩返しができないんじゃ意味がなかった。

蓮の困惑を察したらしい鏑木が、今度は父を説得する。

「では、この謝礼はいったん引き揚げますが、今後ご家族の生活をシウヴァがサポートさせていただくというのはいかがでしょうか？」

「……しかし」

「蓮様のご家族はシウヴァにとっても身内同然ですから当然のことです。もちろん事前に皆さんの了承を得た上で動きますので、意にそぐわないことはいたしません。その点はご安心ください」

「父さん、俺からもお願い」

　ここで援助を拒まれたら元も子もないと思った蓮が、必死に頼み込んだせいもあってか、最終的に父もその申し出を呑んでくれた。

　ほっと胸を撫で下ろしつつ、アンドレが用を足しに行っている隙に鏑木に念を押す。

「アンドレを上の学校に行かせて欲しい。アンドレはすごく頭がよくて村の学校で一番だったのに、うちにお金がなくって進学できなかったんだ」

　鏑木はすぐに「わかった」と快諾してくれた。

「後日アンドレと話し合って、彼が進みたい道に行けるようにサポートする」

「父さんの膝も、町のお医者さんに診《み》てもらうようにしてくれる？」

「もちろん。任せてくれ」

　力強く請け負ってもらえて、少し気持ちが軽くなる。

　会ったばかりだけど、蓮はこの鏑木という男を信頼していい気がしていた。

　蓮が祖父に会う件にしても、謝礼についても、無理強いしようとしなかったし、できるだけこっちの意向を汲もうとしてくれているのがわかったからだ。

　ひとまず安心した蓮は、その夜はハンモックを使わず、家の中で家族と一緒に眠りについた。赤ん坊みたいに母にぴったり寄り添って眠った。母もずっと蓮を抱き締めてくれた。

　そうして迎えた朝。

いつものように日の出と共に起床し、朝食を四人で食べた。今朝は母さんが特別に亀の卵で卵焼きを作ってくれた。

せっかくのご馳走なのに四人とも食が進まず大半を残した。

朝食を終えた頃合いを見計らったかのようにドアが開き、鏑木が顔を覗かせる。

「準備はよろしいですか？」

準備といっても、蓮は自分の持ち物といえるようなものはほとんど持っていなかった。

母の手縫いのリュックサックに、家族で写っている写真（去年のクリスマスに村の教会で撮ってもらったもの）と数枚の下着、着替え、ノートと筆記用具を入れればそれで全部だ。

祖父に初めて会うことになるので、母に言われて教会用の一張羅《いっちょうら》を着た。白い半袖のカッターシャツとカーキの半ズボン。靴はスニーカーを一足しか持っていないのでそれを履くしかない。

「レン、これを持っていきなさい」

父が折りたたみ式のナイフを手渡してくれた。いつも父が魚を捌《さば》く時に使っているもので、蓮にとって憧《あこが》れのナイフだ。

「いいの⁉」

「ただし無闇に振り回してはいけないよ。お守りだと思って持っていなさい。それとこれは餞別《せんべつ》だ。なにかあった時のために使わずに取っておきなさい」

そう釘を刺し、紙幣と硬貨の入った封筒を渡してくれる。

母は自分の首から十字架のペンダントを外し、レンの首に掛けてくれた。

「毎日必ず神様にお祈りするのよ」

アンドレは自分が大切にしていた本をくれた。表紙がすり切れるまで読み込んだ本だ。

家族からの贈り物をリュックサックに仕舞い、蓮は梯子を使って地上に下りた。父と母、アンドレも見送りに下りてくる。

男たちが一晩を過ごしたテントはすでに撤去され、その場所に、夜のうちに取りに行ったらしいヘリコプターが留め置かれていた。鏑木以外の三人はもう中に入っている。

初めて至近距離で本物のヘリコプターを見て、今更ながらに自分が本当にここを離れるのだという実感が湧いてきた。

「……元気でね、レン」

顔をくしゃくしゃにさせた母がぎゅっと抱き締めてくる。蓮も鼻の奥がつーんと痛くなったけど、自分が泣いたら家族が動揺すると思って懸命に我慢した。

「レン、父さんたちはいつだっておまえのことを思っているからな」

父がそう言って、やはり抱き締めてくる。蓮も父を抱き締め返した。

「レン、都会は車がたくさん走っているから気をつけるんだぞ」

強ばった顔で兄らしい忠告を口にしたアンドレが、蓮の頭をくしゃっと撫でる。

「すぐ帰ってこいよ。いいな？」

「うん」

家族との別れを済ませた蓮は、森に近づきジャガーの鳴き真似を始めた。

「ウン、ウン、ウン……」

口を閉じたまま唸《うな》っていると、茂みがガサガサと揺れて漆黒のジャガーが飛び出してくる。

「エルバ！」

蓮はジャガーに駆け寄り、その頸《くび》に抱きついた。

「エルバ、俺がいない間森を頼む」

「グォルルル……」

エルバが悲しげな唸り声を出す。事情はわからないまでも異変を察しているようだ。

蓮も「弟」と離れるのはすごく寂しいし心細い。

「すぐ戻るから……」

しばらくその艶《つや》やかな毛並みを撫でてやってから家族を振り返り、「エルバをお願い」と頼んだ。アンドレがうなずき、エルバを足許に呼び寄せる。

これ以上長引かせたら離れがたい気持ちがいっそう募りそうで、蓮は思い切って体を回転させた。後ろ髪を引かれる思いでヘリコプターに向かって歩き出す。しかし数歩も行かないうちに「レン！」と呼び止められる。

振り返ると母が涙で顔をびしょびしょにして泣いていた。その母の肩を抱く父も眉間《みけん》に皺《しわ》を寄せ、唇を引き結んでいる。アンドレは泣くまいとしてか、しかめっ面だ。

涙を堪えて家族の姿を脳裏に刻みつけた。

静かに寄り添ってきた鏑木が、肩をやさしく叩いて促す。

「行こう」

蓮は奥歯を食いしばり、未練を断ち切るようにくるりと身を返してふたたび歩き出した。

ヘリコプターの後部座席から大男が身を乗り出し、手を摑んで引っ張り上げてくれる。蓮がシートに着席すると、鏑木も乗り込んできた。

「シートベルトを装着してください」

操縦席《コクピット》の金髪が言い、鏑木が蓮の分もベルトの金具を嵌《は》めてくれる。その間に金髪が自分の前に並んでいるスイッチみたいなものをパチパチと弄《いじ》った。ヒュンヒュンヒュンと空気を震わせて羽根が回転し始める。

「準備OK？　じゃあ飛びます。――Take off!」

金髪の掛け声と同時にヘリコプターがふわりと浮き上がった。蓮は鏑木の膝に身を投げ出すようにして窓に張りつく。

窓からは三人とエルバが見えた。

「父さん！　母さん！　アンドレ！　エルバ！」

見送る家族に必死に手を振る。家族も手を振り返してくれた。ほどなく母が泣き崩れ、父が母を後ろから抱き込む。アンドレは頭の上に挙げた両手を振り続けている。エルバの悲しげな咆哮《ほうこう》は、ヘリコプターの羽根の音にたちまち掻き消された。

(母さん……泣かないで。すぐに戻ってくるから)

ヘリコプターが上昇するにつれて家族が遠ざかっていく。みるみる四つの黒い豆粒になり、ついには見えなくなった。

いま蓮の視界に映るのは一面の緑だ。そしてその緑の中を、這い回るボアのように蛇行する川。

両の手のひらを窓にぺったりと張りつけ、蓮は十年間暮らしたジャングルを食い入るように見つめた。

初めて上空から見下ろすジャングルは、想像していたのの何倍も、何十倍も大きかった。

この圧倒的な広さに比べたら、人間は本当にちっぽけだ。

ヘリコプターは蓮が生まれ育った場所からどんどん離れていく。

寄る辺なさが胸に迫り、また鼻の奥が痛くなってきたが、喉許でぐっと堪えた。

傍らの鏑木が心配そうに自分を見つめる視線を感じたからだ。

この男にめそめそ泣くところを見られたくない。

(少しの間だ。お祖父さんに会ったらすぐジャングルに戻るんだ)

そう胸の中でつぶやき、蓮は懸命に自分を慰めた。

III

幾度かの給油と休憩を経て、ヘリコプターはついに首都ハヴィーナ上空に差し掛かった。

インディオの男を途中の空港で降ろしたので、現在の乗員は四名だ。

蓮《れん》と鏑木《かぶらぎ》が後部座席、エンゾとミゲルが操縦席《コクピット》にそれぞれ座っている。

蓮は左側の窓に張りつくようにして、初めて目にする都会を見下ろした。

「……すごい」

そもそもジャングルから一度も離れたことのなかった蓮にとって、ここに至るまでも充分に、上空から見る景色は驚きの連続だった。

綺麗に区画整理された畑が何十ヘクタールも続いていたり、見渡す限りの広大な牧場が広がっていたり……かと思うとアナコンダみたいに太い川が突然現れ、その川に設置された巨大ダムの奔流にも圧倒された。

生まれて初めて見た海には思わず「わぁっ」と口から歓声が飛び出した。

写真で見たことはあったけれど、実際に見るのとは迫力が違った。

蓮が知っているどの川より断然大きくて水の色が青い。青い水にはたくさんの船が浮かんでいる。

海岸線のどこまでも続く白い砂浜にも魅入られた。

切り立った山と山の間をすれすれに飛んだ時は、いまにもぶつかるんじゃないかとひやひやした。

いろんな町も見た。

山の中腹から裾野にかけて家が階段状に並ぶ町。平らな土地に広がる町。海辺の港町。

どれも蓮が知っている村の何倍も大きく、道が何本も通っており、車がいっぱい走っていた。数え切れないほどの屋根が並んでいて、あれが全部家なのかと驚いた。

だけどいま見ている街は、それらの町と比べものにならない。

スケールがまったく違った。

ジャングルに生える樹木のように細長い建物がにょきにょき建っている。聳《そび》え立《た》つビルは、まるで高さを競い合うみたいに雲に向かってまっすぐ伸びていた。

直線的な道路と、それよりは細くてくねくねと曲がった道路が地面を這っている。

その道路には、アリの行進よろしく豆粒くらいの大きさの車が列を成していた。

四角い箱形の建物（平たくて横に長かったり、縦に長かったり形は様々だ）、見たこともないような不思議な形をした建物、広場や公園らしきスペース、教会や塔などがみっしりと詰まっている「都会」は、全体的に灰色がかっていて、緑はぽつりぽつりとしか見当たらない。

あの灰色の箱がすべて家だとしたら、ここにはどれだけの人間がいるんだろう。

村の住民の何十倍、いや何百倍……もしかしてもっと？

……想像もつかない。

ヘリコプターが中心部へと近づくにつれ、全部がガラスでできたビルや色が変化する看板、巨大なテレビ画面がくっついている建物などが現れ、眼下の景色が目まぐるしく変わって一瞬も目を離せなくなった。好奇心を刺激された蓮が息を詰めて都会に見入っていると、隣から鏑木が「ごちゃごちゃしてるだろう?」と話しかけてきた。

「うん……目がチカチカする」

「あんまりじっと見ていると目が疲れるぞ。ほどほどにしておけよ」

鏑木がぽんと肩に手を置く。気安い手を、蓮は今度は振り払わなかった。

ここに来るまでの半日の間、鏑木とぽつぽつ話をした。

問われるがままに蓮は、「ジャングルでの生活について」「学校のこと」「家族のこと」などを話した。

鏑木も自分の話をしてくれた。

二十七歳で元軍人であること。親衛隊の少佐だったが、約一年前に父親が亡くなり、家督を継ぐために除隊した。ミゲルとエンゾは親衛隊時代の部下で、いまは二人とも除隊して鏑木の下で働いてくれている。

鏑木の祖先は日系移民で、エストラニオ入植後は代々シウヴァの当主に仕えてきた。

現在鏑木は、シウヴァ家当主である蓮の祖父の側近として、シウヴァが持つたくさんの会社を統括する中枢セクションに所属している。

子供の頃から父のお供で将来自分が仕えるシウヴァの屋敷に出入りしていたため、蓮の母のイネスをよく知っているし、父の学《まなぶ》とも面識がある。

「俺の死んだ両親のこと知ってるの?」

「ああ、特にイネスとは姉 弟《きょうだい》みたいな関係だった。子供の頃は、イネスと弟のニコラスと三人でよく一緒に遊んだよ」

「どんな人だった？」

「イネスか？……とても聡明で美しい女性だった。亜麻色の髪と碧《みどり》の瞳、陶器のような肌、彼女が現れると場がぱーっと華やぐ特別なオーラを持っていた。誰もがイネスに憧《あこが》れ、恋い焦《こ》がれた。崇拝者は跡を絶たなかったな」

「崇拝者……」

「そのたくさんの崇拝者の中からイネスが選んだのが、きみの父親である甲斐谷《かいや》学氏だ。物静かな人だったが、心の内に情熱を秘めていた。植物学者だった彼は幻の植物ブルシャの研究をしていたんだ」

「ブルシャ⁉　でもあれは伝説だって……」

「だが彼は現実に存在すると信じていた。ブルシャを探すために、わざわざ日本から地球を半周してエストラニオまで来て、ジャングルでのフィールドワークもたびたび行っていた」

死んだ父親がブルシャ・ハンターだったのは驚きだった。

父も自分と同じようにジャングルを歩いたのか……。

ほんの少しだけ、見たことも話したこともない父に親近感を覚える。

「俺、父さんに似てる？　それとも母さん？」

「黒髪と黒い瞳、利発そうな眉は日本人のお父さん譲りだな。けれど顔の造り自体はイネスの面影が強い。特に瞳の輝きはイネス譲りだ。きみは両親のいいところをきちんと受け継いでいるよ」

鏑木の話には知らない言葉がたくさん出てきて、蓮には半分くらいしか理解できなかったが、それでも彼と話しているうちに、徐々に緊張が解《と》けてきた。

鏑木の声としゃべり方のせいかもしれない。鏑木は蓮よりずっと年上なのに、友達みたいな親しみやすい口調で話してくれた。

深みのある低音が耳に入ってくると、ざわざわした気分が少しずつ静まっていくのを感じる。

もちろん、まだ家族と離れた寂しさや、先に対する不安は消えないけれど。

(少なくともこの男は敵じゃない)

一人は味方がいる。

そう思えるだけで随分《ずいぶん》と心強かった。


「そろそろ『パラチオ　デ　シウヴァ』に着くぞ」

鏑木の声に誘われて窓を覗き込んだ蓮の視界にも、塀で囲まれた広大な敷地が映った。

目的地であるシウヴァの屋敷は、都会の人たちに「シウヴァ宮殿」と呼ばれているのだとさっき鏑木が教えてくれた。シウヴァの祖先がポルトガルの王族の末裔《まつえい》だからだそうだ。

そう説明されても、いまはまだ自分に関係があることとは思えない。

「……森だ」

眼下にジャングルと見紛うような森林が広がっていた。ひさしぶりにたくさんの緑を見た気がしてほっとする。見慣れない都会の景色に目が疲れていたようだ。

こんもりした森の上空を過ぎると今度は、青々とした芝の前庭と、お城みたいな真っ白な建物が見えてくる。

（これ全部が……家？）

一家四人で小さな小屋に暮らしてきた蓮には、にわかには信じられない大きさだった。

青芝の前庭を切り裂くように、まっすぐ一本の道が走っている。定規で引いたかのようなまっすぐな道は、最後は巨大な噴水を回り込むようにぐるりと迂回して、白い建物にぶつかっていた。一番幅の広いその道以外にも、斜めに何本か道が通っている。庭のあちこちにチェスの駒みたいに花壇やモニュメントが置かれ、いろいろな形に刈り込まれた生け垣も並んでいた。

前庭の一角にある灰色のサークルを目指し、ヘリコプターはゆっくりと降下した。サークルの真ん中にふわりと着地すると、操縦席のミゲルがヘッドセットを外す。

「少佐、長旅お疲れ様でした」

「おまえこそご苦労だったな」

鏑木が部下を労《ねぎら》い、蓮のシートベルトを外した。

「お疲れ。着いたぞ」

先に操縦席から降りたミゲルとエンゾが、後部座席のドアを開けてくれる。まず鏑木がヘリコプターから降り、次に蓮を抱き留めるようにして降ろしてくれた。

コンクリート敷きのヘリポートに佇《たたず》む蓮を、鏑木が「こっちだ」と促す。機体の整備をするミゲルを残した一行は、まだヒュンヒュンとブレードが回転しているヘリコプターから離れ、風圧の中を歩き出した。

ヘリポートの端には、ドアがない小型の簡易車《カート》が横付けされている。カートの前に立っていた白い服の運転手がドアを開き、「どうぞお乗りください」と乗車を促した。

運転手とエンゾが前、後部座席に蓮と鏑木が乗り込むのを待って、カートが走り出す。

間近で見る芝は長さが綺麗に揃っていて、まるで緑の絨毯《じゅうたん》が敷かれているみたいだった。見渡す限り、落ち葉ひとつ、小枝一本落ちていない。

（……誰が掃除するんだろう）

アーチ形に刈り込まれた生け垣や、人の形をした彫刻、色とりどりの花が咲く花壇の間を縫うようにカートは進んだ。最後に巨大な噴水を回り込み、石畳の広場で停《と》まる。

カートから降りた蓮は、仰ぎ見る屋敷の大きさに圧倒されるのと同時に、エントランスにずらりと並び立つ男女にびっくりした。

全員が黒っぽい服を着ている。日曜日の教会に集まる村人みたいに、男は白いシャツに黒の背広、女は黒いワンピースだ。人によっては、そのワンピースに白いエプロンをつけている。

全員の視線が自分に注がれているのを感じ、蓮は緊張した。こんなに大勢の人間の注目を一身に浴びるのは生まれて初めてだ。

強ばった顔で鏑木の横に立ち尽くしていると、黒尽くめ集団の中から一人の男が進み出てきた。

丈の長いジャケットに、黒とグレイの縦縞《たてじま》のズボンを穿《は》いた男だ。半分くらい白くなった髪をぴったりと後ろに撫でつけている。

「ヴィクトール様、お帰りなさいませ」

初老の男はまず鏑木にお辞儀をした。次に折り曲げていた腰をぴんと伸ばし、視線をこちらに向ける。灰色の瞳がじっと蓮を見つめた。口許をきつく引き締めたその顔は、なにか言葉を発したいのをぐっと堪《こら》えているように見える。

「蓮、執事のロペスだ」

鏑木が紹介してくれたが、『執事』がなんなのか、蓮にはわからなかった。

「レン様、ロペスでございます。お会いできてうれしゅうございます。『パラチオ　デ　シウヴァ』の使用人一同、レン様の御帰還を一日千秋の思いでお待ち申しあげておりました」

震え声でそう言って、初老の男——ロペスが深々とお辞儀をする。するとそれに倣《なら》うように、彼の背後に並ぶ男女も一斉にお辞儀をした。

(な……なに?)

面食らっていると、ロペスがそろそろと顔を上げる。その目に涙が浮かんでいてさらに驚いた。

(なんで泣いてるんだろう?)

胸元からハンカチを取り出したロペスが涙を拭《ぬぐ》い、「大変失礼いたしました」と謝罪を口にする。

「どうぞお屋敷にお入りくださいませ。グスタヴォ様がお待ちです」

エンゾと別れた蓮と鏑木は、ロペスの誘導で石の階段を上がった。巨大な扉をくぐって屋敷の中に入る。

屋敷の中も、蓮にとって初めて見るものばかりだった。

見上げるような天井には、村の教会にあったのと同じような天使やマリア様の絵が描かれている。ぴかぴかに磨かれた床は、うっかりしていると滑って転びそうだ。壁には草や花の模様が描かれ、ランプや鏡が取り付けてあり、豪華な額縁付きの油絵が何枚もかかっている。

鉄でできた銅像や鎧《よろい》、彫刻、綺麗な布が張られた椅子――見るものすべてが目新しく、首が自然と上下、左右と忙しなく動く。隣を歩いている鏑木が時々腕を摑んでは「ちゃんと前を見ろ。転ぶぞ」と注意を促してきた。「うん」とうなずいたそばから視線がふらふらと漂う。

天井の高いホールを抜けて、中庭に面した外廊下に出た。天井も柱も窓枠も眩しいくらいに真っ白だ。左手に見える中庭にはジャングルに生えているのと同じ植物が生い茂っている。

いつも嗅《か》いでいた花の匂いと鳥の囀《さえず》りに、慣れない場所で張り詰めていた気持ちが少し和らいだ。ほっと小さく息を吐く。

やがて目の前に扉が現れ、開かれた扉の先に階段が見えた。その階段を上り、また廊下を進む。先を歩くロペスはなにも話さないし、鏑木も無言だ。ちらっと横目で窺《うかが》ったが、唇を引き結んだ厳しい顔をしていた。

ロペスが突き当たりの二枚扉の前で足を止める。扉の両側には蝶《ちょう》を象《かたど》ったレリーフが彫り込まれていた。

(ここが終点？　この扉の奥に「お祖父《じい》さん」がいる？)

意識したとたんに緊張が戻って来た。

どんな人なんだろう。ちゃんとうまく話せるだろうか。

胸の鼓動を意識していると、ロペスが扉をノックした。

「旦那様、ロペスでございます。ヴィクトール様とレン様をご案内いたしました」

「……入れ」

中から嗄《しゃが》れた声のいらえがあり、ロペスが二枚扉を押し開く。自ら率先して中に入ってドアを押さえ、鏑木と蓮を招き入れた。

「どうぞお入りください」

鏑木のあとからおずおずと室内に足を踏み入れた蓮は、異国情緒漂う家具が置かれた前室を見渡した。

……誰もいない。

きょろきょろしていると鏑木が正面のアーチ形の入り口に近づき、幾重にも垂れ下がっているカーテンを捲《まく》り上《あ》げた。

「きみが先に入れ」

そう促され、蓮は鏑木の横を擦り抜けて入り口をくぐった。

くぐった先は、ぐんと天井が高くなっている。まず目につくのは壁一面の本棚。そして残りの壁を埋め尽くすたくさんの肖像画。

おびただしい数の肖像画と本のせいか、はたまた天井全体に彫り込まれたレリーフのせいか、威圧感のある部屋をぐるりと見回した蓮の目が、暖炉《だんろ》の前に立つ小柄な老人に吸い寄せられた。

真っ白な白髪《しらが》を後ろに撫でつけた、痩せて目つきの鋭い老人。

(この人が……お祖父さん?)

生まれて初めて相見える肉親を見つめる。

ビロードのジャケットを羽織り、シャツの首元からアスコットタイを覗かせた老人は、碧の目で蓮をじろりと一瞥《いちべつ》した。

「これがそうか？」

蓮の後ろに立つ鏑木に尋ねる。喉に絡むような嗄れ声だ。

「はい、イネス様のお子様です」

鏑木が初めて聞くような畏《かしこ》まった声音で答え、蓮の両肩に手を置く。

「蓮、お祖父さんだ」

そう耳許に囁《ささや》き、前へと押し遣《や》った。躊躇《ためら》いがちに数歩前へ出た蓮を、老人がじろじろと見る。

値踏みするような遠慮のない視線を浴び、蓮は戸惑った。

肉親と聞いて想像していたあたたかみは、その老人からはまるで感じられなかった。むしろ近寄りがたさを感じる。

頭の天辺《てっぺん》から汚れたスニーカーまで、刺々《とげとげ》しい視線を二往復させたのちに、老人が吐き出すように言った。

「薄汚い子供だ」

「……っ」

「伸び放題の黒い髪、棒のような腕、傷だらけの脚……本当にこれがシウヴァの後継者か？　陽に焼けたジャポネスにしか見えん。イネスにはどこも似ておらんな。……父親に似たか」

顔をしかめて不快そうにつぶやいた老人が、「ヴィクトール」と鏑木を呼んだ。

「服を脱がせろ」

命令を受けた背後の鏑木がぴくりと身じろぐ。

「聞こえなかったのか？　ヴィクトール」

老人が苛立った声で急かした。

「はっ」

応じた鏑木が、蓮の二の腕を摑んで体を回転させる。鏑木と向き合い、目と目が合った瞬間、低い声で「すまない」と謝られた。詫びてから厳しい顔つきで蓮のシャツのボタンを外し始める。全部外すと片方の袖から腕を抜いた。なにをされているのか理解できず、呆然と身を任せていた蓮は、その段でやっと我に返る。

「なにすんだよっ」

大声を出して抗ったが、鏑木の力の前に為す術《すべ》もなくシャツを脱がされてしまった。そのまま両方の腕をがしっと摑まれ、鏑木と向き合う形で固定される。

「離せっ！」

片足を振り上げて鏑木の臑《すね》をガシガシ蹴ったが、頑強な男はびくともしない。

「離せよ、ばかっ」

まるで歯が立たないことに苛立ち、大きな声を張り上げて暴れている間に、コツコツと靴音を立てて老人が近づいてきた。蓮のすぐ後ろで足を止める気配。

「……………ッ」

背中に視線を感じてむずむずする。肩甲骨《けんこうこつ》の下をかさついた指先で触れられ、蓮はびくっと震えた。

「……ふむ。確かに痣《あざ》がある」

（痣？）

「この蝶の形の痣は生まれつきのものか？」

「…………」

「答えろ」

命令口調にむっとしていると、鏑木が感情を押し殺したような無表情で「翁《おう》の質問に答えてくれ」と頼んでくる。自分が答えないときっと困るのだ。鏑木の家は、代々シウヴァの当主に仕えてきたと言っていたから。

まだ鏑木の仕打ちに腹が立っていたが、祖父の命令に逆らえない彼の苦しい立場もわかったので、蓮は渋々とうなずいた。

蝶が羽を開いた形に似たその痣は、生まれた時から左の肩甲骨の下にあったとジャングルの両親が言っていた。場所が背中なので、蓮自身は鏡越しにしか見たことがない。

「……間違いないな」

忌々しげに老人がつぶやく。

なにが「間違いない」のか意味がわからず、正面の鏑木に「なに？」と訊いた。

「蝶の痣はシウヴァの直系のみに現れる。現れる場所はそれぞれ異なるが、きみの母上にも叔父上にもあった。つまり蓮、きみが間違いなくシウヴァの血を引いているという証《あかし》だ」

鏑木の説明に両目を瞠《みは》る。

この痣にそんな意味があったなんて全然知らなかった。

「あんたは……知ってたのか？」

「ランニングシャツから痣が見えていたからな」

鏑木が淡々と答える。

「だが、痣を見る前から、俺はきみがイネスの子供だと確信していた」

「それって……」

その言葉の意味を問《と》い質《ただ》す前に、老人の嗄れた声が「ヴィクトール」と呼んだ。

「本日を以《もっ》ておまえにこの子供の教育を一任する。腐ってもシウヴァの血が流れているならば、素材は悪くないはずだ。磨き方次第でどうにかなるだろう。おまえの責任において、この薄汚い野生児をシウヴァの跡継ぎに相応《ふさわ》しいレベルに仕立て上げろ」

「承りました」

「頼んだぞ」

鏑木が「はっ」と応じる。

勝手なことを言うだけ言うと、もう用は済んだとばかりに老人は「下がれ」と告げた。鏑木が腕の拘束を緩めたので、蓮はくるっと身を翻《ひるがえ》して老人を睨《にら》みつける。

冷ややかな眼差しと目が合った。蔑むような視線にカッと頭に血が上る。上目遣いに睨みつける蓮を、老人が宝石のような碧の目で冷たく見下ろす。

「なにか文句があるのか？」

「あんた……本当に俺のお祖父さんなのか？」

とても肉親の態度とは思えず、蓮の口から疑惑の声が零れた。

不機嫌そうに眉をひそめた老人が、首元に手をやり、アスコットタイを解《ほど》く。シャツの前ボタンをもうひとつ外して開くと、左の鎖骨の上あたりにくっきりと蝶の痣が見えた。

「……っ」

（自分のと同じ……）

じゃあ本当に……この人は。

血の繋《つな》がった祖父なのか。

決定的な証拠を見せつけられてもまだ実感が湧かない。

こんなにも冷たい目で自分を蔑むように見る人が……お祖父さん？

衝撃に立ち尽くす蓮を、老人が野良猫でも追い払うように、しっしっと手で払った。

「ヴィクトール、早くその子供を連れて行け」

鏑木が蓮の裸の上半身にシャツを被せ、その上から肩を抱くようにして「行こう」と囁く。鏑木に抱きかかえられるようにしてよろよろと、蓮は祖父の部屋を辞した。

前室を通って廊下に出る。背後でロペスがドアをバタンと閉めた。

「………」

ショック状態を引き摺って無言の蓮の前に鏑木が跪《ひざまず》き、シャツを着せる。ボタンを全部留めてから顔を上げ、「脱がせて悪かったな」と謝った。

痛ましげな表情を目にしたとたん、感情がどっと溢れ出す。

「もう嫌だっ！　こんなところ嫌だ！」

蓮は抑えつけていた激情を一気に爆発させた。

「ジャングルに帰りたい！」

昂《たかぶ》った声で鏑木に訴える。けれども鏑木は「わかった」とは言わない。険しい顔つきで黙り込んでいる。

無言の男に蓮は叫んだ。

「父さんや母さん、アンドレ、エルバに会いたい！」

こんな石でできた冷たい屋敷から一刻も早く出たい。

あの氷のような目をした祖父から少しでも離れたい。

「帰りたい！」

眉間《みけん》に皺《しわ》を刻み込んだまま、なにも言わない男に焦れ、もう一度叫んだ。しかし鏑木の返答は、蓮が望んでいるものではなかった。

「今日からここがきみの家だ」

「こんなの俺の家じゃないっ！」

苛立ちに任せて男の肩を拳で打つ。どんっどんっと叩いているうちに興奮してきて、目頭がじわっと熱くなった。

最後まで一度も自分を名前で呼ばなかった。

名前を発することすら穢《けが》らわしいとでもいうように。

——薄汚い子供だ。

——この薄汚い野生児をシウヴァの跡継ぎに相応しいレベルに仕立て上げろ。

嗄れた声が耳に還《かえ》ってきて、胸がぎゅうっと痛くなる。

「あんな人知らないっ」

蓮の爆発を体で受けとめ、叩かれ続けていた鏑木が口を開いた。

「確かに先程の翁の仕打ちは酷い。それでも、グスタヴォ翁ときみが血の繋がった肉親であるのは覆《くつがえ》しようのない事実だ。翁の痣を見ただろう」

「………っ」

びくりと身じろぐ蓮の肩に手を置き、鏑木が顔を覗き込んでくる。

「グスタヴォ翁はひと月前、不慮の事故で跡取りのニコラスを亡くしたばかりだ。その傷を癒やす間もなく、追い打ちをかけるようにイネスの死を知った。二人の子供をほぼ同時に失ったようなものだ。もともときみの祖母である奥方は、十五年前に亡くなられている」

「………」

「昔はこの屋敷も子供の笑い声が絶えないあたたかい場所だったんだ。グスタヴォ翁の友人や知人が世界中から絶え間なく訪れ、ホールは常に人でいっぱいだった。イネスが年頃になってからは毎週末ごとにパーティが開かれ、それは賑やかだった。あの頃の『パラチオ　デ　シウヴァ』はエストラニオ社交界の中心だった」

鏑木が昔を懐《なつ》かしむような声音を紡《つむ》ぐ。少し離れた場所に立つロペスが、ハンカチで目許を押さえたのが見えた。

「グスタヴォ翁は美しく成長したイネスを大層かわいがり、こよなく愛しておられた。その最愛の娘の駆け落ちに大変な衝撃を受けたはずだ。娘の裏切りに――彼からすればそう思えただろう――翁の心は凍りつき、人を遠ざけるようになり……十一年経ったいまもまだ深く傷ついたままだ。しかも、愛娘と和解する機会を永遠に失ってしまった……」

鏑木が真剣な面差しで蓮に訴えかける。

「蓮、グスタヴォ翁の心の傷を癒やせるのはきみしかいない。イネスの血を引くきみしかいないんだ」

イネスの血と言われても、その顔さえ自分は知らない。

「きみたちは家族だ。必ず心が通い合う日がくる。それまで翁の側にいてやってくれ」

心が通い合う日？　そんな日がくるとはとても思えなかった。

蓮が黙って首を横に振ると、鏑木が言葉を継いだ。

「育てのご両親とお兄さんのアンドレについては、俺が責任を持ってサポートすることをここで改めて約束する。家族の生活は保障するし、アンドレも彼の希望どおりの学校に進学させる」

この状況でそれを引き合いに出す男はずるいと思った。

鏑木自身も自覚があるらしく、「家族のことを持ち出すのは卑怯だとわかっている」と苦しい声を落とす。

「だが、俺たちはどんな手を使ってでもきみに頼るしかないんだ。俺やロペスがどれだけ寄り添い、力を尽くしても、グスタヴォ翁の心の氷を溶《と》かすことはできない。それができるのは、蓮、きみだけなんだ」

「……俺だけ？」

「そうだ。この世にただ一人――きみだけだ」

力強く繰り返し、鏑木が蓮の肩から手を離した。そうしてこうべを深く垂れる。

「頼む。グスタヴォ翁を助けてやってくれ」

助ける……あの老人を？

自分が側にいることが、どうしてあの老人を助けることになるのか、理解できなかった。

混乱する蓮に、鏑木の後ろに控えていたロペスが「レン様」と声をかけてくる。

「私からもお願いいたします。私はかつて亡くなられた奥様、イネス様、そしてニコラス様のお世話をさせていただきました。レン様のお世話もさせていただきたく存じます。誠心誠意お仕えいたしますのでどうか……」

震え声でそう懇願したロペスが、「このとおりでございます」と頭を下げる。

立派な大人である二人に頭を下げられ、蓮はどうしていいかわからなくなった。

混乱した脳裏にふと、ジャングルの父の言葉が浮かぶ。

――お祖父さんのところに行きなさい。

――おまえには継ぐべきものがあるんだ。おまえを待っている人たちも大勢いる。

(俺が……継ぐべきもの。俺を……待っている人たち)

それがなんなのか、誰なのかわからない。

でも少なくともいま目の前にいる二人が、自分を必要としてくれているのはわかった。

この二人は嫌いじゃない。目に嘘がないから。

それに自分さえ我慢すれば、アンドレを上の学校に行かせられる。

ジャングルの両親に育ててもらった恩を返せる。

自分にとって一番重要なことがなんであるかを、蓮はいま一度思い起こした。

(そうだ……それが一番大事だ)

アンドレに「すぐ戻る」と言ったのに、約束を違《たが》えるのは心が痛むけれど……。

視線を上げると鏑木も顔を上げていて、灰褐色の瞳と目が合う。

男が息を詰めて自分の答えを待っているのを感じた。

「わかった……もう少しここにいてみる」

慎重に言葉を選んで告げると、鏑木が張り詰めていた表情をふっと緩ませる。ふーっと長い息を吐いた
次の瞬間、感極まったかのように蓮を抱き寄せた。

「ありがとう！」

「……ッ」

逞《たくま》しい腕にぎゅうっと抱《だ》き竦《すく》められ、びくっと身を強ばらせる。するとそれを感じたらしい鏑木があわてて抱擁《ほうよう》を解いた。

「すまない……痛かったか？」

蓮は黙って首を振る。びっくりしたけど別に痛くはなかった。

「きみが快適に暮らせるよう、俺たちも最大限のサポートをする」

誠実な声音でそう言って、鏑木の大きな手が蓮の手を強く握る。ロペスも後ろでうれしそうに微笑んでいる。

祖父に対するわだかまりや違和感が消えてなくなったわけじゃない。

けれどひとまずは、自分の存在を必要としてくれる人たちがいるという事実に希望を見出すしかなかった。

IV

「明日また来る」

蓮《れん》の決断に安心したのか、そう約束して鏑木《かぶらぎ》は帰っていった。

考えてみれば鏑木にも家があるのだから、そこに帰るのは当たり前だ。

蓮の消息を摑むために動いたり、消息がわかってからはジャングルの奥地まで迎えに来たりと、あちこち移動して疲れが溜まっているはず。早く帰って休みたいに違いない。

頭ではわかっていたが、ジャングルからずっと一緒だった男と離れるのはすごく心細かった。

口に出さなくてもその心情が顔に出ていたのか、鏑木は「明日はなるべく早く顔を出すから」と言ってくれた。

鏑木が立ち去ったあとは、ロペスに「これから寝起きする部屋」へ連れて行かれた。そこへ向かう道すがらの説明によると、その部屋は複雑な形態を持つ屋敷の二階部分にあり、『パーム・ガーデン』と呼ばれる中庭に面しているという話だった。

「こちらがレン様のお部屋でございます」

ロペスに案内された部屋は、とにかく広かった。

部屋の中にドアがあって三つの部屋が繫《つな》がっているだけでもびっくりしたのに、さらに衣装部屋が別にあり、浴室とトイレまで部屋の中にある。

三つある部屋のどれも壁が真っ白で天井が高く、その天井からキラキラしたシャンデリアが下がっていた。そこかしこに綺麗な飾りのついた立派な家具が置いてある。

一番広い主室の一角には、ライティングデスクと革張りの椅子が置かれ、壁の本棚にはぎっしりと本が並んでいた。いまここにアンドレがいないのが残念だった。これだけたくさんの本を見たらきっと目を輝かせたに違いないのに。

主室には広々としたバルコニーがついていて、そのバルコニーに出ると、ヤシの木やタビビトノキやインドソケイなどの緑と、赤いタイルの床、藤の椅子、白いパラソル、円形の噴水が階下に見えた。どうやらこの中庭が『パーム・ガーデン』らしい。

「お気に召さないところがございましたらおっしゃってください。すぐに改善いたします」

ロペスにそう言われたが、生まれてから一度も自分専用の部屋を持ったことがないので、不満など持ちようがなかった。強いて言うなら広すぎる。

突然与えられた広い空間を持て余した蓮は、椅子やベッドに腰掛けては立ち上がり、主室と寝室を行ったり来たりしたのちに、もう一度バルコニーに出てみたりと、落ち着きなく室内を動き回った。

「お荷物を解《と》かれるようでしたらお手伝いいたしますが」

そうも言われたが、荷解《にほど》きするほどの荷物もない。

とりあえず家族の写真入りの写真立てを寝室のコンソールテーブルに立て掛け、サイドボードの引き出しに父から餞別《せんべつ》にもらったナイフとお金の入った封筒、アンドレからもらった本を仕舞った。下着と着替えも衣装部屋のクロゼットに仕舞う。

夕食はロペスが部屋まで運んでくれた。

綺麗に盛りつけられた皿が次から次へと運ばれてくる豪華な食事だったが、食欲が湧かずにほとんどを残した。食べ物を残すことには罪悪感があったが、どうしても食べられなかったのだ。ロペスは手をつけられないままの皿を黙って下げた。

夕食後は入浴を勧められた。

「長時間移動をされてさぞやお疲れのことと思いますので、お風呂でゆっくりとおくつろぎください」

蓮の家族が、外に置かれたドラム缶風呂に入るのは土曜日。教会に行く日の前日と決まっている。普段は薪《まき》がもったいないので、川で水浴びをして済ませていた。土曜日じゃないのに、風呂に入るのは初めてだ。

脱衣所で服を脱ぎ、浴室に足を踏み入れる。ぴかぴかの石でできた浴室の真ん中にバスタブが置かれていた。白くて丸みを帯びたフォルムで、装飾的な金色の脚で支えられている。中にはたっぷりのお湯が張られていた。

ロペスがバスタブに入るための台座を用意してくれた。それを使ってそろそろと片足を入れると、ぬるくもなく熱すぎもせず、ちょうどいい感じの温度だ。思い切ってざぶんと全身を沈めた。

「お湯加減はいかがでございますか？」

「ちょうどいい」

「よろしかったです」

ロペスがうれしそうに微笑んだ。

ドラム缶と違ってこのバスタブは体を横にできるのがよかった。

この風呂がジャングルにあったらみんな喜ぶのに。父さんも膝を伸ばせて楽なのに……。

そんなことを思いながら手足を伸ばしてのびのびと横たわる。ふと天井を見上げたら、丸い窓があって星が見えた。

(星だ)

今頃同じ星を、ジャングルの家族も見ているだろうか。

天窓の星を見上げて、遠く離れてしまった家族に思いを馳せていると、「失礼いたします」という声が聞こえた。

顔を浴室のドアのほうに向ける。いつの間にかそこに若い女性が二名立っていた。共に黒のワンピースを着て白いエプロンをつけている。

なんだろうと思っている間に、二人が静々とバスタブに近づいてきた。バスタブを挟み込むようにして両脇に立ち、一人が手にしていた瓶の蓋《ふた》を外して中の液体をお湯に垂らす。もう一人が袖を肘までまくった手をお湯に突っ込み、ぐるぐると掻き混ぜ始めた。

ふわっと花みたいな香りが漂い、たちどころにお湯が泡だらけになる。

不意を衝《つ》かれてフリーズしていた蓮は、彼女たちがスポンジで自分の肩と手を擦り始めたのに驚き、あわてて立ち上がった。ザバッとお湯が零れる。

「なっ……なに?」

「この者たちがお体を洗いますので、レン様はお楽になさっていてくださいませ」

ロペスが宥《なだ》め賺《すか》すような声音でそう告げたが、母親以外の女の人に体を触られるのは初めてのことで、胸がざわざわした。

それに誰かにやってもらわなくても体くらい自分で洗える。赤ん坊じゃないのだ。

「自分で洗えるから！」

「これはこの者たちの仕事でございます」

抗議の言葉をロペスにやんわりと窘《たしな》められる。

「でも……」

「わたくしどもは、レン様のお世話をするためにここにおります。どうかお任せくださいませ」

そうまで言われると、それ以上の抵抗もできず、渋々身を任せるしかなかった。

足の指の間から耳の裏までブラシで丁寧に洗われ、全身の泡をシャワーで流され、体が終わると今度は頭を泡だらけにされ、またシャワーで流され……最後にもう一度お湯を入れ替えたバスタブに入らされて——浴室から出た時には慣れない一連の行為にぐったり疲れ切っていた。長時間お湯に浸かったせいで皮膚がふやけてしまった気がする。

「お疲れ様でございました」

濡れた全身をロペスがふかふかのバスローブで包み込み、やわらかいタオルで髪の水気を拭《ふ》き取《と》ってくれた。あらかた拭き取ったあと、温風が出るハンディタイプのマシン（これなに？　と訊いたら『ドライヤーでございます』という答えが返ってきた）で完全に乾かす。

歯を磨き（これは先に「自分でできる！」と主張した。あやうくロペスに磨かれるところだった）、新品の寝間着を着せられた。つるつる滑る生地でできた真っ白な寝間着で、こんなに肌触りのいい衣類に袖を通したのは生まれて初めてだった。

寝室に移動し、天井からカーテンとレースが垂れ下がっているベッドに寝かしつけられる。このベッドがまたびっくりするくらい大きくて、でんぐり返しが何回もできそうだった。

ぴんと張った清潔なシーツにはシワひとつない。枕も真っ白で載せた後頭部が深く沈む。羽根みたいに軽くてふわふわの掛けぶとんを肩まで引き上げたロペスが枕元の明かりを絞り、「お休みなさいませ」と言った。

ロペスが寝室から出て行って、パタンとドアが閉まる音がする。

一人になった蓮は、母にもらった十字架を襟元から取り出し、神様にお祈りを捧げてから、ゆっくりと目を閉じた。

眼裏《まなうら》に今日一日の出来事が浮かぶ。

父のなにかを堪《こら》えるような顔。母の泣き顔。アンドレの強ばった顔。エルバの悲しげな咆哮《ほうこう》。

空の上から見た多様な景色――ダム。海。砂浜。都会の街並み。そして森の中の白亜の宮殿。

初めて会った祖父の蔑むような眼差しと冷ややかな声。

ありがとうと言って自分を抱き締めた鏑木の強い腕……。

頭の中にいろいろなシーンとたくさんの顔、様々な声が浮かんでは消え、消えては浮かび、疲れているはずなのになかなか寝付けなかった。

何度も寝返りを打ち、自分一人には広すぎるベッドの上下左右あらゆる場所に移動してみたが落ち着かない。眠たいのに眠れないなんてこんなこと初めてだ。

ひとしきりベッドの中で足掻《あが》いた末に、ついに蓮は起き上がった。掛けぶとんを剝いでベッドからぴょんっと飛び下りる。

裸足《はだし》で寝室から主室に移動した蓮は、主室の中をしばらくうろうろと歩き回った。ソファやカウチでも寝てみたがどこもしっくりこず、落ち着きなく転々とした挙げ句、バルコニーに出た。試しに整然と並ぶデッキチェアのひとつに横になってみる。

風が吹くとジャングルと同じ花の香りがするここで漸《ようや》くしっくりときて、蓮は体を丸めて目を閉じた。

次の朝、大きな声で目を覚ます。

「レン様！　どちらですか⁉　レン様！」

父さんの声？　なにをそんなにあわてているんだろう。

薄目を開くと、明るい陽射しに輝く緑が目に入ってきた。チチチッと小鳥の囀《さえず》りが聞こえる。

そこまではいつもと同じだった。

だけど、視界に映り込む景色がなんだか……違う。

違和感を覚え、きょろきょろと周囲を見回した蓮は、自分がハンモックではなくデッキチェアに寝ていることに気がついた。

見慣れぬ光景にむくっと身を起こした時、ガラスの嵌《はま》った扉が勢いよく開き、誰かが飛び出して来る。

（ここ、どこだ？）

「レン様！」

丈の長いジャケットに縦縞《たてじま》のズボンを穿《は》いた初老の男が、デッキチェアの蓮を見てほっと全身の力を抜いた。脱力後、はっと我に返ったように乱れた髪を撫でつけ、首元のネクタイを直す。身なりを整えてからデッキチェアに歩み寄り、蓮の足許に跪《ひざまず》いた。

「寝室にいらっしゃらなかったので……ウォークインクロゼットも浴室もパウダールームもお捜ししましたが見つからず……まさかお外で寝ていらっしゃるとは……」

よほど焦ったのだろう。途中で声を詰まらせる。

蓮は男の灰色の目を見つめながら記憶を呼び覚ました。

彼の名前は確か――ロペス。『執事』だって鏑木が言っていた。

鏑木の顔を脳裏に思い浮かべたとたん、それが呼び水になったみたいに自分がいまどこにいるのかを思い出す。

そうだ。ここは……首都ハヴィーナにある祖父の家。

ジャングルの家じゃない。

もうハンモックに寝ている自分を父が起こしてくれることも、母が朝食を作ってくれることもない。アンドレと一緒に川に顔を洗いに行くこともないのだ。

そう思ったらズキッと胸が痛くなる。

「ベッドではよくお眠りになれませんでしたか？　不具合がございましたらおっしゃっていただけましたらいかようにでも対処いたしますし、お部屋が暑いようでしたらエアコンをおつけいたしますし、枕が合わないようでしたらお取り替えいたします。マットレスの硬さが合わないようでしたら……」

「別にどこも悪くないよ。……そうじゃなくて……いままでずっと外で寝てたから」

　蓮の言葉に耳を傾けていたロペスが「左様でございますか」と相槌《あいづち》を打った。

「そういうことでしたらバルコニーに簡易ベッドを設置いたします。こちらでの生活に馴染《なじ》まれるまでは、そちらで寝ていただくということでいかがでしょうか？」

「うん……」

　ロペスは悪い人じゃない。

　一生懸命、自分が過ごしやすいように考えてくれているのが伝わってきた。

　だけど、ロペスがどんなに居心地よくしてくれたとしても、ここはジャングルじゃない。

　父さんも母さんもアンドレもエルバもいないんだ……。

　相変わらず食欲が湧かず、朝食の大部分を残した。朝食が終わると、『美容師』（そんな仕事があるなんて知らなかった）が部屋に来て伸びっぱなしだった髪を切った。

（すごい。母さんより断然速い）

　鏡越しに美容師の華麗なハサミ捌《さば》きに見とれているうちにカットは終わった。襟足をブラシで払いながら、美容師に「いかがでしょうか？」と訊かれる。そう訊かれても、なにがどういかがなのか蓮にはわからなかった。

全体的に短くなって、そのぶん耳とか首筋がスースーする……のはわかる。

「さっぱりされましたね。とてもよくお似合いです」

蓮の代わりにロペスが感想を述べた。似合っているのならそれでいい。髪はどうせすぐ伸びる。

散髪のあとはロペスが用意した服に着替えた。といっても実際のところは、着方がわからなくてロペスにほとんど手伝ってもらう。

まず貝ボタンがついた白いシャツを着て、黒の半ズボンを穿いた。ズボンはウェストがゆるかったので真っ赤なサスペンダーで吊る。シャツの上にズボンと同色のジャケットを羽織った。黒のハイソックスを履き、生まれて初めて革の靴を履く。最後にロペスが臙脂色《えんじいろ》のリボンタイを結んでくれた。

「ご用意した服が少しばかりサイズが大きいようでございますね。後日テイラーを呼び、採寸の上で改めてお洋服を仕立てさせましょう」

着替えを終えた蓮を目を細めて眺め、ロペスがそう言った。その声はどことなく浮き立っている。

「おはよう。蓮、ロペス」

そこに鏑木が顔を出した。

「おはようございます。ヴィクトール様」

今日の鏑木はぱりっとしたスーツを着て、無精髭《ぶしょうひげ》も綺麗に剃《そ》られており、一瞬誰だかわからなかった。

ミリタリールックに編み上げのワークブーツを履いていた時は身近な気がしていたが、こうして洗練されたスーツ姿を見ると、鏑木も「あっち側の人間」なんだと感じる。

　蓮を見た鏑木が片方の眉を持ち上げ、目を大きく見開いた。

「髪を切ったのか？　洋服もよく似合っている。見違えたな。昨日までランニング一枚でジャングルを駆け回っていたとは思えないぞ」

　そんなことを言われてもうれしくない。

　第一ボタンまで留められたシャツとリボンタイが息苦しいし、初めて履いたハイソックスも革の靴も窮屈でしかたなかった。

（脱ぎたい。こんな服嫌いだ）

　蓮の不機嫌な表情に気がついていないのか、わざと気がつかない振りをしているのか、鏑木が上機嫌で
「やっぱり元の素材がいいんだな」と言った。

「お祖父《じい》さんに見せたか？」

　祖父の話題を出され、ぴくっと肩が揺れる。昨日の祖父の蔑むような眼差しが脳裏に蘇った。思い出すだけで心臓がズキズキ痛くなる。

「……まだ……」

「じゃあ一緒にお披露目に行こう。俺も挨拶《あいさつ》に行くからちょうどいい」

　鏑木に誘われても気乗りがしなかったが、顔を覗き込まれ「な？」と言われるとなんでか拒めなくなる。

　男の灰褐色の目には不思議な、抗い難い力があった。

　鏑木に連れられて昨日と同じ祖父の部屋を訪れると、祖父は立派な肘掛け椅子に座り、本を読んでいた。

「おはようございます、セニョール・シウヴァ。蓮様に、ロペスが用意した洋服に着替えていただきまし

た」

祖父が本から顔を上げ、こちらを見る。射貫《いぬ》くような鋭い視線が突き刺さった。

「……っ」

祖父が遠慮のない視線で自分を見定めている間、鏑木の隣で緊張してジャッジを待つ。

昨日は「薄汚い子供」「野生児」と侮蔑の言葉を投げつけられた。

でももしかしたら、今日の自分ならば気に入ってもらえるかもしれない。

風呂に入って全身を磨いてもらい、髪も切った。窮屈な服も着た。

ロペスも鏑木も誉めてくれたのだから……お祖父さんも。

淡い希望はしかし、次の瞬間に祖父が発した一言であえなく打ち砕かれた。

「まぁまぁ見られるようにはなったが中身は猿のままだ」

(猿!?)

猿呼ばわりされた衝撃に体が震える。傍《かたわ》らの鏑木も身じろいだのがわかった。

「セニョール、その言い方はさすがに」

「ヴィクトール」

鏑木の異論をみなまで聞かずに祖父がぴしゃりと遮る。

「一刻も早く中身を『人間』にしろ。いいな?」

有無を言わせぬ命令口調に鏑木が息を呑む。

体に添わせた大きな手がきつく握り締められるのを蓮は見た。

「ヴィクトール、返事はどうした？」

祖父が側近を苛立った声で促す。鏑木はしばらくの間、なにかを堪えるように拳《こぶし》を握り締めていたが、やがてその拳をゆっくりと開き、小さく息を吐いた。

「……最善を尽くします」

低音を落として祖父に一礼し、蓮の手首を掴む。耳許に「行こう」と囁《ささや》き、歩き出した。鏑木に手を引かれ、蓮は祖父の部屋から出た。

部屋を出てからも、鏑木は蓮の手を引っ張ってどんどん歩いて行く。男のスピードに足が追いつかなくなり、転びそうになった蓮は「ちょっと待ってよ！」と声を発した。男がぴたりと足を止めて振り返る。その顔はいままで見た中で一番険しかった。

「……蓮」

苦しそうな表情の鏑木が床に片膝をつき、蓮と視線を合わせる。

「辛い思いをさせてしまってすまない」

蓮自身はどちらかというと、暴言を吐いた祖父そのものよりも、今日の自分ならば気に入ってもらえるかもしれないなどと期待した自分に腹が立っていた。

鏑木のせいじゃない。鏑木に謝ってもらう筋合いはなかった。

見た目が少し変わったくらいで祖父に好いてもらえるなどと考えた自分が甘かったのだ。

だからつっけんどんに言い返した。

「……あんたのせいじゃない」

冷静に返したつもりが、声が震えているのに驚く。

自分で思っているよりダメージを受けていることがショックだった。

こんなことで……祖父の言葉なんかで傷つきたくないと思うのに。実際にはすごく動揺している。

胸がざわついて、顔が熱くて、いまにも泣き出しそうになっている。

自分の弱さに唇を嚙み締める蓮を、鏑木は束の間痛ましげな面持ちで見つめていたが、ほどなく口を開いた。

「……きみをここに連れてきたのは俺だ」

眉間《みけん》に皺《しわ》を寄せた鏑木が、決意を重々しく口にする。

「いつか必ず、グスタヴォ翁《おう》にきみを認めさせる」

「………」

（そんなこと言ったって……）

祖父を裏切って駆け落ちした母。

母を連れ去り、結果的に死にいたらしめた父。

その父に外見が似ているという自分。

ジャングルで生まれ育って都会のことはなにひとつ知らない自分。

祖父が自分を嫌う要因は数えられるほどあっても、認める要素はひとつもない。

「そんなことできっこない」

ふて腐れた声が出る。祖父との二度の面談で心が折れかかっていた。だけど鏑木は怯《ひる》まない。

「必ずだ。誓う」

そう言って自分の左胸に右手を置いた。誓いのポーズを取ったあとで、もう一度蓮の目をまっすぐ見つめる。

「だからきみも協力してくれないか」

「協力?」

蓮は警戒した声を出した。

「グスタヴォ翁に認めさせるために、教育を受けて欲しい」

「教育?……って勉強?」

「勉強もそうだが、それだけじゃない。マナー、社交術、話術などの一般教養を皮切りに、ダンス、乗馬などのスポーツ、護身術、または将来を見据えた語学、政治経済、外交、経営学――シウヴァのトップに立つための帝王学だ」

「ちょっ……ちょっと待ってよ」

淀みない物言いをあわてて遮った。聞いているだけで頭が混乱しそうだ。

「そんなの無理」

「無理じゃない。きみにはイネスの――シウヴァの血が流れているんだからな」

「…………」

そう言われてもすぐには納得できない。村の子供たちの誰よりすばしこくて足も速かったけれど、椅子にじっと座っているのは苦手で勉強はあまり好きじゃない。

（そんなの自信ない）

シウヴァの血が流れているからと、勝手に期待されても困る。

「きみならできる」

蓮を見据えて鏑木が繰り返す。

決めつける男に腹が立ち、気がつくと大きな声が出ていた。

「勝手なこと言うなよ！」

一度吐き出してしまうと、いままで我慢していた反動で止まらなくなる。

「俺はイネスとか知らない！　シウヴァも知らない！　勝手に押しつけんなっ」

叫びながら、頭ではこれは八つ当たりだとわかっていた。祖父に面と向かってぶつけられないから、この男に苛立ちをぶつけている。昨日からずっとそうだ。わかっていても自分を止められなかった。

「シウヴァなんか知らないっ！」

「いまはそれでもいい」

「……っ」

意表を突かれた蓮の肩に、鏑木が手を置いた。真剣な顔で語りかけてくる。

「シウヴァのためでなくていい。ジャングルの家族のために協力して欲しい」

蓮は目の前の男を睨《にら》みつけた。ぎりっと奥歯を食い締める。

「卑怯者！」

それを言えば逆らえないと知っていて、ここぞとばかりに切り札を出してくる男が腹立たしかった。

憤怒《ふんぬ》の炎を黒い瞳に燃え上がらせた蓮の、強い視線を揺るぎなく受け止め、鏑木が静かな低音を紡《つむ》ぐ。

「俺のことは憎んでくれて構わない。どんなに嫌ってもいい。すべてはジャングルの家族のため。そう思って教育を受けてくれないか」

「…………」

懇願してくる男の灰褐色の双眸《そうぼう》を、まだ憤りの収まらない蓮は、じっと睨み返した。

あの日——鏑木が突然ジャングルに現れ、木の上の自分に「下りてこい」と手を差し伸べたあの瞬間から、運命の歯車が大きく動き出した。

いままた男の懇願を受け入れることで、自分がどう変わるのか、わからないから不安で……。

でも不安な気持ちの一方で、言われっぱなしはやっぱり悔しかった。

人間未満の猿と蔑まれるのは、自分を育ててくれた家族までが馬鹿にされているみたいで嫌だった。

あの尊大な老人を、できれば見返したい。

母の駆け落ちも、父に似ている自分も、今更どうにもできない。

だけど「教育」を受けて、少しでも祖父が認める存在に近づけるのなら。

別に祖父のためじゃない。あの人に気に入られたいからじゃない。

鏑木の言うとおり、すべてはジャングルの家族のためだ。

目の前の男を睨みつけながら思考を巡らせた結果、自分がここにいる根本の理由に立ち返った蓮は、

「……わかった」とつぶやく。

「教育、受けてみる」

「蓮」

鏑木が一瞬大きく瞠《みは》った目を、徐々に細めた。

「……ありがとう」

「けど、やってみて向いてないと思ったらジャングルに帰るから」

釘を刺す蓮に、鏑木が「わかっている」とうなずく。

蓮の頭に大きな手を置き、覚悟を決めた声で告げた。

「きみのために俺も全力を尽くす」


蓮にとって新しい体験の連続である『パラチオ　デ　シウヴァ』での暮らしが始まった。

『パラチオ　デ　シウヴァ』の住人は、新しく加わった蓮を入れて四名。

当主である祖父グスタヴォ、事故で亡くなったニコラス叔父の妻ソフィア、その娘アナ・クララ。だが現在この母娘はソフィアの実家に戻っている。夫を亡くしたショックでソフィアが体調を崩したためだ。

そのため、現在の住人は祖父と蓮の二名ということになる。

たった二名の生活を、信じられないことに八十人もの使用人が支えている。

彼らを統括しているのが執事のロペスだ。

初日の入浴がそうであったように、ここではなにをするのも使用人の手を借りる。

蓮にはそれが馴染《なじ》めず、ことあるごとに「自分でできる」と主張したが、そのたび鏑木に「彼らの仕事を取り上げちゃいけない」と諭される羽目になった。

鏑木は、使用人をきちんと「使う」ことがシウヴァの一員としての責務であり、身につけなければならない第一項目だと言うのだ。

意味がよくわからなかったが、それも教育の一環であるというならば、不承不承でも受け入れるしかなかった。

鏑木に「教育、受けてみる」と言った翌日、自らを『テイラー』と名乗る男たちがやってきて、蓮の体のありとあらゆる場所のサイズを細かく測っていった。

その一週間後には大量の衣類と小物が届けられたが、クロゼットに満杯になった服や靴は、蓮が苦手な窮屈なものばかりだった。どれもサイズはぴったりなのだが、裸同然でジャングルを駆け回っていた身には、どんなに上等な仕立ての衣類であっても堅苦しく感じてしまう。

毎朝、上着から靴までひと揃えを着用するだけでうんざりした。

着替えの儀式が終わると朝食、そのあと朝の九時から「帝王教育」が始まる。

入れ替わり立ち替わり講師が現れ（選び抜かれた一流のプロであるらしい）、マンツーマンで一時間みっちりと授業を受けさせられる。

綿密に組まれたカリキュラムは、最新のパソコンを使った基礎教科に始まり、英語、日本語、ドイツ語、フランス語、中国語などの外国語、食事作法や挨拶の仕方、目上の人に使う敬語などのマナー全般、ダンス、乗馬などのスポーツ、および護身術等々、多岐にわたった。

終わるのは夕方の五時で、その頃には蓮は大概ぐったり疲れ切っていた。しかも教科によっては宿題が出るため、予習復習も欠かせない。

そもそもパソコンを見たことがなかった蓮は、その使い方から学ばなければならなかった。

それでも講師の教え方が上手いせいか、さほど時間を要さずにパソコンを使いこなせるようになり、それによって村の学校に通っていた時よりぐんと勉強が捗《はかど》るようになった。そうなってくると、勉強はそれほど苦ではなくなる。

もとよりスポーツは得意だったから、体を動かすレッスンは楽しかった。とりわけ乗馬が気に入った。馬もかわいいし、疾走感が気持ちいい。コーチにも「筋がいい」と言ってもらえた。

護身術は鏑木が自ら講師となって教えてくれた。マーシャルアーツを礎《いしずえ》とし、もっぱら攻撃よりも「身を護ること」を主としたセルフディフェンスのレッスンで、これもすごく楽しかった。

スーツからスポーツウエアに着替えた鏑木の体は、軍隊上がりだけあって筋肉がしっかりついており、手足も長くて蓮から見ても格好よかった。

それに比べて自分はひょろひょろのやせっぽちでまるで棒きれだ。

羨《うらや》ましげに眺めていたら、「きみももう少ししたら体が変わってくる。ちゃんと筋肉もつくから安心しろ」と慰められた。

「ほんとに？」

「俺もきみくらいの時にはガリガリだった」

ガリガリの鏑木なんて想像できない。

「たっぷり睡眠をとって好き嫌いせずになんでもバランスよく食べることだ。それと適度の運動」

「………わかった」

「いいコだ」

鏑木が蓮の髪をくしゃりと摑む。ぴくっと反応した蓮は「さわんなっ」と叫び、鏑木の手から逃げるように身を引いた。

すぐ頭を撫でようとするのは男の癖なのだと思うが、子供扱いされているようで癪《しゃく》に障《さわ》った。

少し離れた場所から睨みつける蓮に、鏑木が苦笑して肩を竦《すく》める。

「……悪かった」

運動系全般で生き生きするのに反して、一般教養と言われるマナー関連のカリキュラムは大の苦手で、マナーレッスンの時間になるとお腹《なか》が痛くなるほど性に合わなかった。

最初は優雅でいて堂々として見える歩き方、椅子やカウチに座った際の正しい姿勢、ダイニングテーブルの着席の仕方から指導された。

これができるようになるとテーブルマナーに進む。

このテーブルマナーには心底げんなりした。肉の切り方、魚料理の捌き方、スープの飲み方、ナプキンの使い方、すべてに厳格な作法があり、しかも「美しく食べること」を求められるのだ。

特に面倒なのはカトラリーの扱いだった。なんで毎回、皿ごとに違うナイフやフォークを使わなければならないのか蓮には理解できなかった。スプーン一本で事足りるのに、わざわざ取り替えるなんて非効率だと思う。洗うための水と洗剤がもったいない。

それを鏑木に訴えたところ、「料理の味が混ざらないように替えるんだ」という回答が返ってきた。

「そんなの舐《な》めちゃえばいいだろ？」

「きみ一人で食事しているならそれでもいい。どんな食べ方をしようが自由だ。だが公の場で食事をする場合はそれじゃ駄目だ。きみがスプーンをぺちゃぺちゃ舐めたりしたら、隣の席の人が不快な気分になる。きみだって向かいの人間がくちゃくちゃ音を立てて食べていたら嫌だろう？　マナーの基本は『お互いへの思いやり』だ。人に迷惑をかけるような行為を慎む。そう考えれば簡単だろう？」

「……うーん」

「まぁそうは言っても俺も苦手だったがな」

「あんたも？」

「ああ、うちの母は厳しい人で、間違ったナイフを取ろうもんなら問答無用で手の甲を叩かれた。まだ物心もつかないガキの頃にスパルタで教え込まれて、いつの間にか自然と身についていた。いまとなっては感謝しているよ。目上の人間の前に出る際にマナーがなっていないと、それだけで相手にされないからな」

「ふーん」

完全に納得はできないけれど、人に迷惑をかけないため、というのならば仕方がない。

鏑木は「最大限のサポートをする」と初日に約束したとおり、毎日屋敷に顔を出し、時間が合えば蓮と一緒に食事を摂《と》った。そうは言っても彼も仕事があって暇ではないので、一時間くらいしか一緒にいられない日もある。

それでも欠かさず立ち寄ってくれるのは内心心強かった。

自惚《うぬぼ》れられると困るから口に出しては死んでも言わないけど、顔を見るとほっとする。

いまとなっては、ジャングルの家族の話ができるのは鏑木だけだからだ。

鏑木はジャングルの家族と定期的に連絡を取っており、なにか変化があれば、その都度経過を報告してくれる。

アンドレは鏑木の説得の甲斐あって、上の学校への進学が決まった。父も町の病院での診断の結果、膝の手術を受けることになった。家族が住む小屋も、老朽化が激しいために新しく建て直すことになったそうだ。

蓮にとって、鏑木の口から聞く家族の話だけが心の支えだった。

自分がここで教育を受けることでジャングルの家族が幸せになるのなら、退屈なマナーレッスンにも耐えられる。

肝心の祖父とは一ヶ月が過ぎてもまったくと言っていいほど馴染めなかった。

そもそも祖父はほとんど屋敷におらず、いつも大勢の黒いスーツの男たち（ボディガードや秘書らしい）を従え、車やヘリコプターで出たり入ったりしていた。蓮にはどこへ行っているのか知らされないが、三日から一週間くらい屋敷を空けることもある。屋敷に滞在している時は時で、ひっきりなしに来客があり、その応対のために応接室、もしくは自分の部屋に籠《こ》もっていた。

そんな調子なので顔を合わせる機会は少なかったが、稀に廊下やホールで鉢合わせすることがある。蓮は鏑木に教えられたとおりに「おはようございます」もしくは「こんにちは」と挨拶《あいさつ》をしたが、祖父から言葉が返ってくることはなかった。

蓮を一瞥《いちべつ》するその碧《みどり》の目は相変わらず冴え冴えと冷たい。

けれど、そんな目で見られることにもじきに慣れた。いちいち傷つくこともなくなった。

屋敷での生活やレッスン漬けの日常にも慣れた頃——ずっと張り詰めていた緊張の糸がぷっつりと切れたのかもしれない。

そのあたりから蓮はおかしくなった。

最初に異変が出たのは食欲だった。ジャングルを離れてから落ち気味だった食欲がさらに落ちて、無理に食べると吐くようになった。食欲減に続き眠りが浅くなり、夢ばかり見るようになった。

夢には両親、アンドレ、エルバ、毎日一緒に遊んでいた動物たちが代わる代わる出てきた。

帰りたい。

ジャングルに帰りたい。

森林を覆う朝靄《あさもや》。甘い花の匂い。スコール。獣の咆哮。真っ赤な夕陽。夜の虫の合唱。

樹に登りたい。川で泳ぎたい。動物たちと遊びたい。

みんなに会いたい。

眠れない夜は家族の写真を胸に抱いて過ごした。

短い時間うつらうつらと微睡《まどろ》んで目が覚めると、涙で顔が汚れていることもあった。知らないうちに泣いていたのだ。

睡眠不足のせいか勉強が頭に入らず、レッスン中もぼーっとしたり、うとうとしたりすることが多くなった。

ただでさえ細い体がみるみる痩せて、日に日に顔色が青白くなっていく蓮を、鏑木とロペスは心配した。医者がやってきて診察をしたが、「どこにも疾患はありません。体は健康です」との診断だった。とりあえずの処置として栄養剤を点滴し、睡眠導入剤を処方して帰って行った。

生まれてから一度も薬というものを飲んだことがない蓮は、漠然とした抵抗感から、与えられた錠剤を飲んだフリでこっそり捨てた。

鏑木は以前にも増して頻繁に顔を出すようになり、ロペスも甲斐甲斐《かいがい》しく面倒をみてくれる。二人が親身になって心配してくれているのはわかったけれど、元気が出ないのは自分でもどうしようもなかった。

胸のあたりがいつもどんより重苦しくて体が怠《だる》い。前みたいに機敏に動けない。一日ベッドで寝ていたいとさえ思ってしまう。実際レッスンを休むことも多くなった。

その日は比較的気分がよかったのでベッドから起き、鏑木と蓮の部屋でランチを摂った。ロペスが「なるべく太陽の光を浴びたほうがよろしいとお医者様がおっしゃっていました」と、バルコニーにテーブルをセットしてくれる。

運ばれてきた皿の上には素朴なオムレツが載っていた。懐《なつ》かしい母の得意料理だ。

「ジャングルから亀の卵を取り寄せて、シェフに作ってもらったんだ」

蓮の正面に座る鏑木が言った。

どうやら母からそれとなく蓮の好物を聞き出して、料理長にオーダーしてくれたらしい。鏑木が自分のために、陰ながら心を配ってくれているのを実感する。

両親やアンドレには、自分の不調については内緒にしておいて欲しいと鏑木に頼んであった。

こんな状態だって知ったら家族みんなが心配する。父さんは膝の手術を、アンドレもせっかく決めた進学を辞退してしまうかもしれない。

だから絶対に……知られちゃ駄目だ。

「オムレツ、好物だろ？」

「……うん」

蓮は小さくうなずき、黄色いプレーンオムレツをじっと見つめた。

「お母さんと同じ味になっているかわからないが、一口食べてみてくれ」

「…………」

食べなきゃ。食べてみんなを安心させなきゃ。

そう思えば思うほど、気分が悪くなってくる。

額の生え際に脂汗が浮き、胃がむかむかして……いまにも吐きそうだった。頭がぐらぐら揺れて体が小刻みに震える。

「蓮？　どうした？」

鏑木が訝《いぶか》しげな声を出して腰を浮かせた。

「おい、大丈夫か？　蓮？」

気遣うその声がだんだん遠ざかっていく。ふっと目の前が暗くなった。

（なんで……真っ暗？　昼……なのに……）

ぐらりと大きく体が傾《かし》ぎ、椅子から転げ落ちる寸前、力強い腕に抱きかかえられる。

「蓮っ」

「レン様っ」

鏑木とロペスの叫び声を最後に、蓮は意識を失った。


「……う……ん……」

川底から浮き上がるような感覚と同時にゆるゆると目を開く。視界に執事の皺深《しわぶか》い顔が映り込んだ。

「レン様……お目覚めでございますか？」

「ロ……ペス？」

掠《かす》れた声を発した瞬間、灰色の瞳に涙が盛り上がる。執事が目頭をハンカチで押さえた。

「……心配いたしました。このままレン様がお目覚めにならなかったらどうしようかと」

「……俺……」

状況が摑めず、蓮はパチパチと両目を瞬《またた》かせた。ロペスの顔から転じた視線が天蓋《てんがい》を捉《とら》え、自分のベッドに寝ているらしいことを知る。

「ランチの席で倒れられて……丸二日間眠っていらしたのです」

「二日間？」

ハンカチをポケットに仕舞い、ロペスがうなずいた。

「ヴィクトール様が寝室まで運んでくださり、そのあとすぐにお医者様を呼びました。栄養が足りていないのと極度の睡眠不足であろうとの診断で、栄養剤と睡眠薬を点滴していただきました」

睡眠薬……それで丸二日も眠ってしまったのか。

「ヴィクトール様は二晩泊まり込みで付き添ってくださいました」

ロペスの説明を聞いているうちに、朧《おぼろげ》気な記憶が蘇ってくる。

意識を失っている間、何度かうっすら目が覚めた。

誰かが自分の手を握っていた。大きくてあたたかい手だ。

——……母さん？

——蓮……起きたのか？

深くて落ち着いた低音が耳許に囁いた。

——かぶら……ぎ？

——ああ、俺だ。大丈夫か？

大きな手が額と頭をやさしく撫でてくれる。

ああ……鏑木だ……よかった。鏑木が側にいる……。

ほっとしたせいか、また川底に引き摺り込まれるようにじわじわと意識が遠ざかり——。

(あれって……夢じゃなかったのか)

その鏑木の姿が見えなかった。

身を起こそうとして、あわてたロペスに「急に動いてはなりません」と制される。

背中に枕を入れてもらって、蓮はゆっくりと起き上がった。たっぷり眠ったせいか、倒れる前の頭がぐらぐらする感覚は消えている。

周囲を見回してから蓮はロペスに尋ねた。

「……鏑木は？」

すると執事はなぜか顔を強ばらせる。

「ヴィクトール様は……今朝ご出発なさいました」

「出発って？」

「しばらくハヴィーナを離れ、お留守にされるとのことです」

その言葉を聞いたとたん、不安な気持ちが迫《せ》り上《あ》がってきた。

この二ヶ月、鏑木は半日と空けずに蓮を訪ねてきた。たとえ三十分しか滞在できなくても、最低一日一回は顔を見せた。おそらく自分が蓮をここまで連れてきて、ジャングルの家族を盾に留め置いているという負い目があったんだろう。

責任感の塊《かたまり》みたいな男が、自分の意識がない間にどこかに行っちゃうなんて……。

「どこに行ったんだ？　しばらくってどのくらい？」

蓮はロペスを問い詰めたが、執事は困り顔で「はっきりとしたことは私も存じ上げませんのです。申し訳ございません」と繰り返すばかりだった。

その日一日、そして次の日も、鏑木は顔を出さなかった。

それだけで、心にぽかっと穴が空いたみたいな物足りない気分になる。

鏑木が側にいるのが当たり前になっている自分を思い知らされた。

鏑木にだって生活があるし仕事もある。自分にばかり構ってはいられない。きっと大事な用事があるのだ。そう頭ではわかっていても胸の中がもやもやする。

なんで連絡ひとつ寄越さないんだ？

どんなに忙しくたって電話の一本くらいかけられるはず。

ぐるぐる考えていて、ふっと思い当たった。

もしかして……かけられないんじゃなくて……わざとかけないのかも？

自分が疎《うと》ましくなって……それで連絡を寄越さないのかもしれない。

そう思って振り返れば、思い当たる節がたくさんある。

この屋敷に来てから、祖父の側近の鏑木に対して素直になれなくなってしまった。

ずっと意地を張って、八つ当たりでひどいこともたくさん言ったし、いろいろやってもらったのに一回も「ありがとう」を言わなかった。

鏑木の包容力とやさしさに甘えて、やってくれて当然みたいな態度を取り続けてしまった。

かわいげのない自分に、さすがの鏑木も呆れて嫌気が差したのかもしれない。

(嫌われちゃったのかも……)

そう思った瞬間、ズキッと胸が痛くなった。ズキズキした痛みはいっこうに治まらず、ふたたび食欲がなくなって眠りも浅くなった。

なにもする気が起きない。

蓮はレッスンを休み、バルコニーから外ばかり眺めて過ごした。たまに手摺りからココヤシに飛び移り、木の上から遠くを眺めた。そうやって、いつ帰ってくるかわからない鏑木の姿をひたすら待ち続けた。

鏑木がハヴィーナを離れて三日目の夜。

ほとんど手つかずの夕食をロペスが心なしか肩を落として下げていく。作ってくれた料理長には悪いと思ったけれど、どうしても胃が受けつけなかった。

食後はバスも使わずにベッドに体を横たえ、枕に顔を埋《うず》めてぼんやりと考える。

もう三日目も終わる。いつになったら帰ってくるんだろう。

(まさか……このままずっと帰ってこないなんてことは……)

脳裏に浮かんだ不吉な予感に、心臓がぎゅっと痛くなる。蓮はふるっと頭を振って悪い妄想を追い払った。

鏑木が帰ってきたら謝ろう。意地を張ってごめん。本当は感謝してるって……ちゃんと言おう。

この数日で心に刻んだ決意を改めて思い返していると、コンコンというノックが聞こえた。のろのろと顔を上げ、寝室のドアに向けた視線が、がっしりと大柄なシルエットを捉える。

「蓮？　起きているか？」

深みのある低音。

蓮はがばっと起き上がった。

「鏑木⁉」

問いかけに応《こた》えるようにパチッと電気が点き、この三日間待《ま》ち焦《こ》がれた男が視界に飛び込んでくる。第一ボタンを外したシャツにジャケットを羽織った長身。彫りの深い精悍《せいかん》な貌《かお》。

灰褐色の瞳と目が合った瞬間、鼻の奥がつーんと痛くなり、涙がぶわっと盛り上がる。

謝ろうと思っていた殊勝な決意は、感情の昂《たかぶ》りに呆気なく吹き飛ばされてしまった。

「どこ行ってたんだよっ！」

涙声で怒鳴りつけ、鏑木に向かって枕を投げつける。力及ばず、足許に落下した枕を拾い上げ、鏑木がベッドに近づいてきた。枕元まで来て足を止める。

「………蓮」

自分を見下ろす神妙な顔を、蓮は涙の浮かんだ目で睨み上げた。

この数日の心細さと鏑木が戻って来た安堵と——いろんな感情が一緒くたになって一気に溢れ出す。

「俺を置いて勝手にいなくなるなっ」

飛びつくようにして鏑木の胸をどんっと拳で叩いた。もう片方の拳でも叩く。どんっ、どんっと鈍い音が響いた。残っている最後の力を振り絞って叫ぶ。

「あんたがっ……俺をここに連れてきたのに！」

そうだ。鏑木が自分をここに連れてきたのだ。

あの時、手を差し伸べたのが鏑木じゃなかったら、こんなところまで来なかった。

鏑木に懇願されなかったら、ここには残らなかった。

鏑木がいなかったら、すぐにジャングルに帰っていた。

「一緒にいるって約束したのに……っ」

激情をぶつけてくる蓮をしばらくしたいようにさせておいてから、鏑木は震える蓮の背中に手を添え、自分の胸に抱き寄せた。ぎゅっと強く抱き締め、耳に唇を寄せて囁く。

「悪かった……蓮」

「……鏑木のばかっ……」

広い胸に顔を埋め、蓮は泣きながら男を罵った。

「すまない……二度と黙って一人にはしない。……誓うよ」

鏑木が宥めるようにやさしく背中を撫でる。そんなふうにされたらますます涙が止まらなくなった。わぁわぁと声をあげて泣きじゃくる。蓮が胸に溜まっていたマイナスの感情を涙と一緒に体の外に放出している間、鏑木は根気強く蓮の背中を撫で続けた。

「ひぃっ……く」

しゃくりあげるたび、蓮は少しずつ大人しくなった。最後に、鏑木の胸の中ですんっと洟《はな》をすすり上げる。

感情の嵐が収束しつつあるのを察知したのか、鏑木がそっと抱擁《ほうよう》を解《と》いた。

「ちょっと待ってろ。すぐ戻るからそこを動くなよ」

念を押して寝室を出ていく。

残された蓮は、涙で汚れた頬を手の甲で擦った。

「……ふ……」

全部吐き出してすっきりするのと入れ違いに、じわじわと後悔の念が込み上げてくる。

謝るつもりが大声でわめき散らし、詰《なじ》って叩いて、挙げ句の果てに聞き分けのない幼児みたいに鏑木の胸でわんわん泣いてしまった自分が恥ずかしかった。

泣き虫のガキって思われただろうか。

(思われても仕方がない……かも)

居たたまれない気分でしょんぼり俯《うつむ》いていると鏑木が戻って来た。その手に引かれて寝室に入ってきた黒いジャガーに、蓮は大きく目を見開く。

「エルバ!?」

「グォルルル……」

ジャガーが蓮を見て喉を鳴らした。うれしい時の唸《うな》り声《ごえ》だ。

「エルバッ!」

喜びを爆発させた蓮はベッドから飛び下りた。

「蓮! 危ないから急に走るな」

鏑木の注意も耳に入らない。まろぶようにエルバに駆け寄り、頸《くび》に抱きついた。エルバもグルグルと盛大に喉を鳴らして歓喜を表現する。

「エルバ……会いたかった!」

ざらついた舌でべろべろ顔中を舐められながら、蓮は「弟」との二ヶ月ぶりの再会に浸った。

「……エルバ」

「グォル……グォル」

ひとしきりエルバと喜びを分かち合い、漸く少し興奮が鎮《しず》まった蓮は、紅潮した顔で鏑木を見上げる。

「あんたがジャングルから連れてきたのか？」

微笑みの残った顔で鏑木がうなずいた。

「この二週間余り、日に日に弱っていくきみを側で見ていて、なにもできない自分がどうしようもなくもどかしかった。ついに倒れてしまったきみのベッドの傍らで、どうすれば元気を取り戻せるのかを二晩考え続けて……三日目の明け方、ふっとエルバのことを思いついたんだ。すぐに家に戻り、準備をしてジャングルへ向かった」

「家族に会ったの？」

「ああ、ご両親とアンドレに会って『エルバを引き取らせてもらえないか』とお願いした。最初のうちアンドレは、『自分がレンに頼まれたから』となかなか首を縦に振らなかった。だがアンドレ自身、町の学校に通うようになればジャングルを離れなければならない。それと実のところ、エルバもきみと離ればなれになってから元気をなくしていたらしい。レンと暮らすことで元気を取り戻せるならばと、最終的には許可してもらえた」

「おまえも俺と同じだったのか……」

自分と離れて弱っていたという「弟」の頸に蓮は頰を摺り寄せた。

「だが、アンドレの許しが出ても肝心のエルバが嫌がれば元も子もない」

鏑木が言葉を継ぐ。

そう言われてみれば確かに……野生のジャガーがこうして大人しく繋がれていること自体が奇跡的なことだ。

「どうやってエルバに首輪をつけたんだ？」

「麻酔銃を使うのはできれば避けたかった。アンドレがエルバを呼び出してくれたので、まずは一対一の対面を果たすことができた。以前きみが、『エルバは俺の言うことがわかるし、俺もエルバの気持ちがわかる』と言っていたのを思い出し、一か八かの賭だったが、目を見つめて訴えかけたんだ。『蓮がおまえを待っている。一緒に蓮のところに行こう』と。こいつは俺の話に耳を傾け、話し終わると自分から檻《おり》に入ってくれた」

エルバの説得という大仕事をやってのけた鏑木自身が、いまだ半信半疑という表情だった。

「エルバは人を見るんだ。その人間の本性を見極める。あんたはエルバに認められたんだよ」

蓮が真剣な顔でそう告げると、鏑木が「光栄だ」と微笑む。

「この先一緒に過ごす時間も多いわけだし、仲良くやっていきたいからな」

「これからずっとエルバと一緒にいられる？」

「きみと彼が望む限りは」

「やった！」

蓮は弾けるような歓喜の声を発して、エルバの頸にぎゅっと抱きついた。エルバも尻尾《しっぽ》をパシパシと床に打ちつけて喜ぶ。

エルバの頸を抱き締めたまま、蓮は鏑木をじっと見つめた。

「……ありがとう」

やっと言えた感謝の言葉に、鏑木が肉感的な唇を横に引く。

「どういたしまして。きみが元気になってくれるのなら、ジャガーのピックアップくらいお安い御用だ」

V

夜の帳《とばり》に紛れ、白亜の宮殿に次々と黒塗りのリムジンが吸い込まれていく。

シウヴァの紋章——モルフォ蝶《ちょう》が刻まれた外門に通じる道に、入館許可を待つ高級車が連なる光景は、もはやハヴィーナの週末の風物詩だ。

自身もBMWのハンドルを操り、その列に並んでいた鏑木《かぶらぎ》は、門衛の誰何《すいか》にパワーウィンドウを下げて顔を覗かせた。

「今晩は。セニョール・カブラギ」

顔見知りの門衛が鏑木に挨拶《あいさつ》をする。

「今夜もすごい来客だな、ルイ」

「はい、大変な人数です。今夜は特に多い気がします」

そのおびただしい数のゲストに招待状と身分証明書の提示を求め、いちいちコンピュータと照らし合わせて当人であるかをチェックしなければならないのだから大変だ。だが、万が一にも不審者を館内に入れることは許されない。

大統領に匹敵する権力を持つシウヴァには敵も多い。六年前、跡継ぎのニコラスが事故死したが、その死因はいまだ不明のままだ。

不審者を水際で堰《せ》き止《と》める第一関門の責任は重大だった。

「ご苦労だが、頑張ってくれ」

そう労《ねぎら》った鏑木は、アクセルを踏み込み、開いた鉄のゲートに車を進めた。ここから先も森の奥の車寄せまで渋滞が続く。

今夜の招待客が特に多いのは、ここ――『パラチオ　デ　シウヴァ』の主《あるじ》であるグスタヴォ・シウヴァの命令によるものだ。

孫の蓮《れん》が十六歳の誕生日を迎えた三ヶ月前から、グスタヴォは週末毎にパーティを開き、エストラニオのセレブを招待し始めた。

ゲストは老若男女が入り交じっているが、グスタヴォの真のターゲットは若い女性だ。

シウヴァと釣り合うような血筋と家柄を持ち、器量がよくて健康な令嬢。

できれば、蓮と見合うくらいの年頃の娘が望ましいが、多少ならば年上も可。

要するに、パーティの形式を借りた花嫁選びだ。

無論ゲストもホストのニーズは承知の上で参加している。ただ単にパーティ好きのパーティフリークも中にはいるが、我こそは花嫁候補と意気込む令嬢がほとんどだ。

自らを売り込もうと単身乗り込んでくる強者もいれば、自分の娘やきょうだい、果ては姪《めい》や遠縁の娘を売り込もうと必死な者もいる。

いまエストラニオ社交界の話題の中心は、「どこの令嬢がシウヴァの御曹司の意中の女性となるのか？」で、噂好きで暇を持て余しているセレブたちの間では、寄ると触るとその話で持ちきりだった。賭の対象にしている輩《やから》までいる。

嘘か誠か、花嫁候補になるために離婚した。あるいは親が別れさせた……などという話も耳にする。

シウヴァにそれだけの価値があるのもまた事実だが。

しかし当の蓮は、周囲の騒乱をよそに、特定の誰かに興味を示す素振りを見せなかった。

ここぞとばかりに着飾り、あの手この手で気を引こうとする花嫁志願者たちを、どちらかというとクールにいなしている。

(まだ十六になったばかりだしな)

異性に興味がないわけではないだろうが、結婚相手を見つけろとせっつかれてもぴんとこないのが実のところだろう。

鏑木とて蓮の年には、自分がいつか所帯を持つなんて想像もつかなかったし、実感も湧かなかった。

……それが高じて三十を過ぎたいまでも独り身だ。

これは六年前に、運命の主となる蓮と出会ってしまったことが大きい。

(まぁ、俺のことはどうでもいい)

蓮が一向に色よい返事をしないので、苛立ったグスタヴォが招待状をより広範囲——近隣諸国にまでばら撒《ま》き、その結果が今夜の大渋滞というわけだ。

それでも車は徐々に進み、十分後には芝が美しい前庭に出た。ライトアップされた巨大な噴水を回り込み、車寄せでBMWを停《と》める。エンジンを切って外に出ると、忙しそうに走り回るバレーサービススタッフの一人が鏑木に気がつき、駆け寄ってきた。

「今晩は。セニョール・カブラギ」

顔馴染《かおなじ》みの青年にキーを投げ、「頼む」と声をかける。

「お任せください」

キャッチした彼がにっこりと請け負い、鏑木が降りたばかりの運転席に乗り込んだ。彼がここから少し離れた場所にある駐車場まで車を運んでくれる。中にはヘリコプターやプライベートジェットで乗り付けるゲストもいるだろうから、今夜のバレースタッフは大忙しのはずだった。

石畳に降り立った鏑木は、イネスの全盛期以降では最大数のゲストで賑わう白亜の宮殿を見上げた。

窓という窓は眩しく煌《きら》めき、たゆたうたくさんの人影が見える。笑い声や嬌声《きょうせい》、そして生演奏の音楽が外まで漏れ聞こえてきていた。

鏑木と同じように車から降り立った親子連れらしき三人組が、先に石の階段を上っていく。父と母の間に挟まれた娘は、ブロンドの髪を高く結い、透ける生地をたっぷりと使ったドレスでめいっぱい装っていた。典型的なソーシャライトといった身なりとルックスだ。

あの娘のアタックを蓮はどう躱《かわ》すのか。

そんなことを考えながら、鏑木は首のバタフライタイに手をやった。曲がりを直す。

午後の会議が思いの外に延びてしまい、あわてて家に戻ってタキシードに着替えてきた。いっそスーツで直行しようかとも思ったが、逆に会場で悪目立ちすると思い直した。が、そのせいで大遅刻だ……。

右手首のウブロの文字盤を確かめ、顔をしかめた。パーティ開始時刻から二時間以上過ぎている。

(王子様はさぞお冠だろうな)

ただでさえ大嫌いなパーティで、いままでで最大数の取り巻きに囲まれた蓮の不機嫌な顔が脳裏に浮かぶ。

かわいそうだが、これもシウヴァの跡取りの、いわば宿命だ。

頭をふるっと振った鏑木は、エナメルのオペラパンプスで階段を上り始めた。

オープンになった二枚扉の左右にも、黒服のボディガードが複数名立っている。ボディチェックに忙しい元警官の彼らに目で挨拶をし、館内に入る。

普段はガランと人気《ひとけ》のないエントランスホール、各種廊下や階段、踊り場にも、今夜は人が溢れ返っている。ライトアップされた各庭園においても、ベンチや東屋《あずまや》で談笑するゲストの姿が多数見受けられた。

今夜この場にエストラニオ中のセレブが集まっているといっても過言じゃない。

何人かの顔見知りとすれ違い様に挨拶を交わしつつ、メイン会場へと急ぐ。

天井の高い大広間《サルーン》に足を踏み入れた鏑木は、前を通りかかったボーイからシャンパングラスを受け取った。

楽団の演奏をBGMに、ゲストたちはそれぞれが思い思いに過ごしている。

シャンパングラス片手におしゃべりに興じる者。ビュッフェの料理を摘んでいる者。

椅子やカウチに腰掛けて話し込んでいるのは年配女性が大多数だ。

若者は数人で固まって立ち話をしているか、ボールルームで踊っているか、ビリヤードルームでゲームをしているかのいずれか。

比較的年配のゲストは、人の多い大広間からドローイングルームに移り、紅茶とお菓子でくつろいでいることだろう。

女性のエスコートで参戦した男性客は、早々にシガレットルームに避難して一服している者も多いはずだ。

笑いさざめく人と人の間を縫うように擦り抜け、鏑木は蓮の姿を探した。やがて一際大きな人だかりを視界に捉《とら》える。ざっと数えても二十人は下らない人垣だ。

盛装の紳士淑女が取り囲むようにしているのは、すらりと細身の少年だった。

六年前と比べればずいぶんと縦に伸びたが、それでもまだ身長は鏑木の顎《あご》のあたり。

手足が長く、全体的にほっそりとした痩軀《そうく》を、今夜はダークネイビーのタキシードスーツに包んでいる。白のウィングカラーシャツの首元にはロイヤルブルーのバタフライタイ。胸ポケットにシャツと共布のチーフ。十六歳とは思えないほどに洗練された着こなしだ。

しかしその半面、艶《つや》やかな黒髪とくすみひとつない瑞々《みずみず》しい肌は、彼の若さを如実に物語っている。花の盛りを過ぎた女性ならば、隣に立つのを躊躇《ちゅうちょ》するだろう。花嫁に立候補しようとして、蓮を前にすごすごと引き下がる女性が多いのもうなずける。

六年の間、あらゆる一流のプロの手によって徹底的に磨き抜かれ、帝王学を叩き込まれた蓮に、かつての「野生児」の面影はなかった。陽に焼けて小麦色だった肌もすっかり色が褪め、本来の乳白色を取り戻している。

気の強そうな眉、眦《まなじり》が切れ上がったアーモンド形の双眸《そうぼう》は変わらない。黒々とした大きな瞳が放つ輝きも健在だ。

ジャングルで培《つちか》った天真爛漫《てんしんらんまん》さや無邪気さは影をひそめたが、代わりに華奢《きゃしゃ》な体には、齢《よわい》十六にしてシウヴァの後継者としてのオーラがすでに具《そな》わっていた。

そのカリスマ性に、二十年前社交界の華と謳《うた》われたイネスのＤＮＡを色濃く感じる。

（……成長したな）

改めて、遠目から蓮を眺めた鏑木は感慨に耽《ふけ》った。

家族との別れにベソを掻きながらも、自分の前では泣くまいと必死に涙を我慢していた子供が。

祖父にひどい言葉を投げつけられ、自分の胸の中で「ジャングルに帰りたい！」と駄々をこねたあのちびっ子が。

（よく……耐えた）

この六年、決して平坦な道程ではなかった。

特に屋敷に来たばかりの頃はホームシックが激しく、このままだと病気になってしまうのではないかと本気で心配した。

鏑木がエルバをジャングルから連れてきたことによって弟分の存在に癒やされ、徐々に精神《こころ》の安定を取り戻し、一年が経つ頃には屋敷での生活にもだいぶ順応した。

もともとが利発で運動神経が発達していたので、多様なレッスンにも適応し、また負けず嫌いの本人の努力もあって、眠っていたポテンシャルがみるみる開花していくのが傍から見ていてもわかった。

現在、学業はすでにカレッジレベルまで進んでいるし、セレブたちと渡り合うことで磨かれたマナーもどこに出しても恥ずかしくないレベルに洗練されている。ダンスだってその気になればとても優雅に踊れる。

とはいえ祖父グスタヴォとの関係は相変わらず良好とは言えないし、蓮自身、都会での暮らしに染まったわけでも、心から好いているわけでもないのを鏑木はわかっていた。

本質の部分は、ジャングルにいた少年時代と変わっていない。

蓮がここまで我慢したのは、ひとえに育ての親と兄のためだ。

現在育ての両親はジャングルに程近い地方都市に暮らし、兄のアンドレは親元から大学に通っている。

彼らの暮らしを自分が支えているという自負が、蓮をこの場に立たせているのだ。その枷《かせ》がなければ、蓮はいますぐにでも鎖を断ち切り、ジャングルへ舞い戻ってしまうだろう。

鏑木の視線の先で、いま蓮は眉をひそめ、唇を固く引き結んでいる。

不機嫌なのが一目でわかる『シウヴァの王子』の足許には、金の鎖で繋《つな》がれた黒いジャガーが蹲《うずくま》っていた。

黒髪の王子とブラックジャガーというファンタジックな組み合わせは、エストラニオの社交界ではもはや馴染みの光景で、今更驚く者もいない。

エルバがよく飼い慣らされていること、無闇に牙を剝かないことを誰もが知っている。

ただしこれは、蓮に危害を加えない場合に限ってだが。

「素晴らしいパーティですね。本日はお招きありがとうございます。宝石商のマヌエルです」

蓮に話しかけたタキシードの紳士と、彼の後ろに控える令嬢、その母親らしき婦人を見て、鏑木はつい先程石階段で自分の前を歩いていた親子連れだと気づいた。

「こちらが娘のマルシアです。先月十七になりました。年齢も近いことですし、お話し相手にでもなればと思い、本日連れて参りました。お話が合えばよろしいのですが」

露骨な売り込みにも蓮は顔色を変えず、黙って小さく会釈をする。

「マルシア、ご挨拶しなさい」

父親に促された娘が一歩前に出た。満面の笑みを浮かべたブロンド娘は、蓮に向かって優雅にお辞儀をする。

「はじめまして、レン様。マルシアです。お会いできてうれしいです」

「はじめまして」

どことなく甘ったるい口調の挨拶に応《こた》える蓮の声は、凜《りん》と張ってよく通った。ボイストレーニングの賜《たまもの》だろう。鏑木のところまではっきりと聞こえる。

「あの……乗馬をなさるってお聞きしたんですけど、私も好きなんです。子供の頃から馬が大好きで、ハイスクールでも乗馬部に入っています」

蓮の趣味や嗜好はリサーチ済みらしい。ゴシップ誌に『シウヴァの王子のハートを射とめるシンデレラは誰か？』などと特集を組まれるくらいだから、そのあたりは押さえておくべき基本中の基本に違いない。

「レン様の愛馬はサラブレッドですか？」

ぱちぱちと瞬《まばた》きをし、長いまつげを強調しながら娘が尋ねた。

「そうです」

蓮が肯定する。

「でも正確には僕の馬じゃない。祖父の馬です。いま着ている服も履いている靴も、全部祖父のもので、僕自身はなにひとつ持っていない。無一文です」

蓮の返答にマルシアは明らかに面食らっていた。まさかそうくるとは思っていなかったんだろう。

「あ……で、でも……将来はレン様が受け継ぐんですよね？」

「わかりません。先のことなど誰にもわからない。あなたは一年後の今日、自分がなにをしているか言えますか？」

マルシアが真っ赤な顔で黙り込んだ。形勢不利と見てか、傍《かたわ》らに立つ父親が「確かにそのとおりだ。いやいや、聞きしに勝る聡明な御方ですな」と口を挟む。

「さぞかし立派な跡継ぎになるに違いない。シウヴァ一族は安泰だ！」

見え透いたおべんちゃらを言い、娘の腕を引いた。これ以上墓穴を掘る前にいったん退却するが吉との判断だろう。

「また改めましてご挨拶にうかがいます。——マルシア、失礼するぞ！」

父に腕を摑まれた娘が、未練がましく何度も振り返りながら引っ張られていく。

だが蓮はもう、母親ともども退散していく親子には一切目を向けなかった。

少し離れた場所から状況を見守っていた鏑木は、手のひらでざらりと顎を撫で、ひとりごちる。

「……またグスタヴォ翁《おう》の機嫌が悪くなるな」

この三ヶ月、いまのようなシーンがパーティ会場のそこかしこで繰り広げられたが、蓮の心を揺り動かした娘は現在のところ一人もいない。今回のブロンドのみならず、赤毛もブルネットも黒髪もことごとく玉砕した。セクシー系、ファニー系、清純おしとやか系、知的クールビューティ系とタイプも様々に異なれど、いずれもお気に召さなかったようだ。

グスタヴォからプレッシャーをかけられ、鏑木も「どんな娘がタイプなんだ？」と探りを入れてみたが、「女は嫌いだ」とけんもほろろの答えが返ってきた。

まだまだ女性より、自分やエルバと一緒にいるほうが楽しいらしい。

(ませた口をきいたところで、要するにまだガキってことだ)

そう結論づけた鏑木がふっと唇を緩めた時。

「レンお兄ちゃま！」

かわいらしい声が会場に響く。見れば小柄な少女がタタタッと小走りで蓮に駆け寄るところだった。少女を見下ろす蓮の顔が一瞬にして柔和になる。

「アナ」

蓮が唯一心を許す「レディ」。亡き叔父の遺児であるアナ・クララだ。

蓮にとってこの従妹は、祖父以外で唯一、血の繋がった肉親に当たる。

十歳になったばかりの彼女は、母と一緒に同じ敷地内の別館に住んでいる。なにしろ広大な敷地なので同居という感覚は持ちづらいだろうが、蓮は六つ下の従妹《いとこ》を妹のようにかわいがっていた。

一方のアナ・クララも蓮が大好きだ。

このおしゃまな従妹の存在も、この六年間の蓮を陰ながら支えたもののひとつだった。

「ごきげんよう、エルバ」

　ドレスと同色のリボンを蜂蜜色の髪に結んだ少女は、エルバを恐れることなく、漆黒の体にぎゅっと抱きつく。エルバもグルグルと機嫌よく喉を鳴らした。仲睦まじいその様子を、やさしい眼差しで眺めていた蓮が従妹に尋ねる。

「アナ、マーイは？」

「あっちで知らない男の人とお話ししてる」

　母親のソフィアは別室でゲストと歓談中らしい。

「勝手にマーイから離れちゃ駄目だろ」

　叱られたアナ・クララがぷっと頬を膨らませた。

「だって退屈だったんだもの。早くお兄ちゃまとエルバに会いたかったの」

「退屈でも人混みで一人になっちゃ駄目だ。いつもマーイに言われているだろ？」

　十歳であっても、アナ・クララは紛う事なきシウヴァの後継者の一人だ。

　親族の脳裏には常に「誘拐」という最悪のシナリオが影を落としている。たとえ屋敷の中であっても、今夜のように外から人がたくさん入ってきているシチュエーションでは油断できない。もちろんゲストの身元確認には万全を期しているが、物事に百パーセントはあり得ないと考え、念には念を入れるのが定石だ。

　ちょうどそこにあわてた様子のソフィアが現れた。遠目にも顔が強ばっているのがわかる。

「アナ！」

　娘の姿を発見した瞬間、張り詰めていた表情をほっと緩め、蓮と娘のもとへ走り寄った。

「マーイ」

「勝手に離れちゃ駄目じゃないの！」

ソフィアが娘の肩を摑み、険しい声音で叱りつける。アナ・クララがしょぼんとした顔で「ごめんなさい」と謝った。

「本当に心臓が止まるかと思ったわ」

「ソフィア、アナも反省しているようだから」

蓮が取りなし、ソフィアも「そうね……目を離した私も悪かったわ」と反省の弁を口にする。

「でももう絶対に一人になっちゃ駄目よ、アナ。お兄ちゃまに会って満足したでしょ？　もう遅いからお部屋に戻っておねんねしましょう」

「はぁい。お兄ちゃま、エルバ、おやすみなさい」

「おやすみ。アナ」

母親に手を引かれ、少女が退室していく。

(さて、そろそろ王子様のご機嫌伺いに参上するか)

歩き出した鏑木の肩を、後ろからぽんと叩く者があった。

「ヴィクトール」

名前を呼ばれて振り返った鏑木は、シルバーのドレスに身を包んだ黒髪の美女を背後に認めた。光沢のある生地が珈琲色《コーヒーいろ》の肌を引き立てている。

「ナオミ……来ていたのか」

「今夜も盛況ね。花嫁志願者は連敗中のようだけど」

ナオミが片手のシャンパングラスを鏑木の顔の前に掲げた。

「残念ながら」

「これだけ盛大なパーティを開いて一人も引っかからないんじゃ大金をどぶに捨てるようなものね。その半分でいいから市の予算に回して欲しいところだけど。ま、シウヴァにしてみれば痛くも痒《かゆ》くもないはした金でしょうけど？」

鏑木は渋い顔で肩を竦《すく》めた。ナオミが言いたいことはよくわかる。ハヴィーナ市民の過半数はそう思っていることだろう。

「それにしたってあなたが王子様の隣にいないなんてめずらしいじゃない？　私はパーティのはじめから見ていたけど、騎士《ナイト》が側にいなくて彼ずっとご機嫌斜めだったわよ」

「夕方からの会議が押したんだ。そっちこそ警護任務か？」

こう見えてナオミはハヴィーナ市警の警官だ。

「そう。シウヴァのボディガードは警察ＯＢで優秀だけど、こうも大々的にやられたら市警も動かないわけにはいかないわ。シウヴァの跡継ぎになにかあったら、長官の首なんかひとたまりもないもの。パーティ潜入に制服じゃ目立つからドレスアップしろって上からの命令」

「似合ってるよ。素敵なドレスだ」

「ありがとう。高価《たか》かったの」

グロスで艶《つや》めく唇が弧を描く。ナオミの右手が鏑木の首に巻き付いた。もう片方の手で、バタフライタイをつつく。

「あなたもタキシード素敵よ。婚約者さん」

ナオミは鏑木の父親の親友の娘で、幼馴染みだ。生前、父はナオミの父親と「子供同士を結婚させる」と取り決めていたため、形式上は許婚《いいなずけ》ということになっている。

だが当の子供たちはそんなことをまったく意識せずに成長し、お互いに三十を過ぎたいまでも気の置けない交流が続いている。

並の男より侠気《おとこぎ》のあるナオミは、鏑木にとって男女の性差を超えた友人だった。

「堅苦しいのは苦手だが、こういった場じゃ仕方がない。お互い苦労するな」

「なにごとも王子様のため」

ウィンクしたナオミに、鏑木も唇の片端を持ち上げる。

「今度食事に誘うよ。肉料理《シェラスコ》がばつぐんに美味いレストランを見つけたんだ」

「非番の夜ならいつでも歓迎よ」

「了解。話せてうれしかった」

片手を挙げ、ナオミと別れた鏑木は、ずいぶんと待たせてしまった「主」のもとへ急いだ。

その日、蓮は朝から気が重かった。

三ヶ月前の十六歳の誕生日以降、週末毎にパーティが開かれているが、今夜のパーティはその中でも最大規模だと朝起こしに来たロペスに教えられ、挨拶をしなければならない人数を想像しただけでげんなりしていたのだ。

大体こんなパーティを何回開いたって意味がない。無駄だ。

十六になった日から、祖父と顔を合わせるたびに「一日も早く妻《めと》を娶《めと》れ」と言われ続けている。でも自分はまだ結婚する気になんかなれない。

この三ヶ月、祖父に命じられるがままに数えられないほどの花嫁候補と会い、話をしてダンスを踊った。

彼女たちは、自分がいかにシウヴァの花嫁に相応《ふさわ》しいかを競ってアピールしてきた。

確かにそれぞれ、それなりに綺麗だったり、かわいらしかったり、賢そうだったりした。

けれど彼女たちといて、蓮は一度も胸がときめくことはなかった。触れ合った手にドキドキすることもなかった。

むしろ媚《こ》びた態度や目つき、甘ったるい声に嫌悪感を抱いた。

彼女たちは蓮を好きなわけじゃない。

蓮の後ろにあるシウヴァの財産や権力が好きなのだ。少なくとも蓮が会った娘たちはそうだった。

(花嫁なんかいらない)

鏑木とエルバ、アナ・クララ、そしてロペスさえいればよかった。

とりわけこの六年間、陰となりひなたとなり、自分を支えてくれた鏑木とロペス。

彼らだけが本当の自分をわかってくれる。

だから他は要《い》らない……。

排他的な思考が自分の世界を狭めていることもわかっていたが、妻が欲しいと思えないのはどうしようもない。

そんな後ろ向きな気持ちで参加したせいか、今夜もまた列を成す花嫁候補のアピールに心が動かされることはなかった。

物見高いゲスト。まとわりつくような人の視線。わざとらしいおべっか。追従笑《ついしょうわら》い。

(……うんざりだ)

生産性のない繰り返しに疲労がどんどん蓄積される。

自分が不機嫌な顔をしている自覚はあったが、取り繕うこともできなかった。

こんな時、持ち前の包容力で苛立ちを緩和してくれる男が、今夜は側にいなかったからだ。仕事で遅くなるとの連絡があったきり、パーティも終盤に差しかかっているというのに姿を見せない。

このところ頓に仕事が忙しいらしく、もう十日ほど顔を見ていなかった。

今夜はひさしぶりに会えると思っていたのに。

(いい加減遅すぎる)

どこかで誰かに捕まっているのか？　顔の広い男だからその可能性は高い。

待ちくたびれた蓮は、自分のほうから鏑木を探すことにした。花嫁候補の列も途切れたし、今夜はそろそろお役ご免だろう。

そう勝手に解釈し、エルバを引き連れて歩き出した蓮を、ボディガード二名があわてて追ってくる。

談笑しているゲストの間を擦り抜け、鏑木の姿を求めてしばらく大広間をうろつき回った蓮は、人溜まりの向こうに頭ひとつ抜き出た長身を見つけた。

（いた！）

駆け寄ろうとして踏み出した足が、タキシードの鏑木と対峙《たいじ》する女性の存在に気づいた瞬間、ぴたりと止まる。

背中の大きく開いたドレスをセクシーに着こなす美女の名はナオミ。

――鏑木の婚約者。

珈琲色の肌に漆黒の髪、女性にしてはかなりの長身でスタイル抜群。蓮も何度か話したことがあるが、とてもクレバーで、警察官という職業柄か、性格も男勝りな印象を受けた。

これだけ強くて美しい女性だと、一緒にいて釣り合いが取れる男も限られてくる。

その点、鏑木は見劣りがしなかった。

身長、体格、ルックス、頭脳、家柄と文句のつけようがない。

今夜の鏑木は正装に合わせて髪をオールバック気味に撫でつけており、秀でた額と高い鼻梁《びりょう》が際立って見えた。

鏑木は日系だがヨーロッパの血がブレンドされているため、一般的な東洋人より彫りが深い。顔の骨格や体格は欧米人のそれだ。肩幅が広く、体幹に厚みがあるのでスーツもタキシードも楽々と着こなす。

そこに神秘的な黒髪と表情豊かな灰褐色の目、肉感的な唇が加わり、女性にとっては「たまらない」ルックスとなるらしい（パーティに一緒に出るようになって、蓮は鏑木が女性にモテることに気がついた）。出会った頃は自分が子供だったせいもあってよくわからなかったが、長じて鏑木の男としての器量の大きさが実感できるようになり、蓮は一番身近な「年上の友人」に憧《あこが》れるようになった。

鏑木は、いつかこういう大人の男になりたいという――蓮の密かな目標だ。

そして、そんな鏑木とナオミは、誰が見てもお似合いのカップル。

ぼんやりとベストカップルを眺めていたら、ナオミが鏑木の首に手を回し、厚みのある胸にしなだれかかった。鏑木のバタフライタイを弄《いじ》って熱っぽい眼差しを向ける。

「……っ」

人目もはばからずにいちゃつく二人にチリッと首筋が灼《や》けた。

首の後ろがひりつくその感覚がなんなのかわからないままに、くるっと踵《きびす》を返す。二人から一刻も早く遠ざかりたくて、蓮は逆方向に足早に歩き出した。鎖が繋がれたエルバがタタッと後ろからついてくる。さらにボディガード二名もついてくる。

大広間から出ると、そのボディガードの片方が声をかけてきた。

「レン様、どちらへ？」

「パウダールームだよ」

廊下に面したパウダールームのドアを開けながら、横目でボディガードを睨《にら》む。

「中までついて来る気か？」

「いいえ。ドアの外でお待ちしております」

エルバと一緒にパウダールームの中に入るなり、蓮はドアに鍵をかけた。タキシードジャケットを脱いで、大理石の洗面台にぽんと投げる。

シャツにカマーベルトとサスペンダーという格好になると、個室には入らず、まっすぐ突き当たりの壁まで歩み寄った。鎧戸《よろいど》を開いてガラス窓を押し上げ、下を覗き込む。二階から地上までは、飛び下りるにはやや距離があった。

「少し待ってろ。おまえは俺のあとだ」

エルバにそう告げるやいなや窓枠によじ登り、窓の外の一番近いパンノキに手を伸ばす。太めの枝を掴み、ひょいと幹に飛び移った。すぐにエルバが窓枠に飛び乗り、窓から顔を出す。

「来い」

手招きに応じ、エルバも幹に飛び移ってきた。ネコ科のジャガーは木登りが上手い。蓮もジャングルにいた頃はハンモックを使うために毎日上り下りしていたのでお手のものだ。

幹をするすると滑り降り、最後は地上にとんっと着地する。エルバもひらりと跳躍して下りた。

「行くぞ」

エルバを引き連れ、樹木や生け垣の陰に身を隠して敷地内を移動する。

別にボディガードに恨みがあるわけじゃない。彼らも仕事だとわかっている。

だけどいまは一人になりたかった。

(鏑木のやつ……なんだ、あのにやけ顔)

許婚同士なんだから人前でいちゃつこうが問題ないのは頭では理解している。

わかっているけど、なぜだか無性にイライラする。

さっきまでの苛立ちとは種類の違うフラストレーションで胸の中がもやもやした。

（なんなんだ？　この気持ち悪い感じ……）

名前のわからない感情を持て余しつつ、暗闇に紛れて建物を回り込んだ蓮は、パーム・ガーデンと呼ばれる中庭に出た。

屋敷の中で蓮が一番お気に入りの場所だ。たくさんの緑の中にいると落ち着くのだ。

赤い煉瓦《れんが》を敷き詰めた四角いスペースの真ん中に、円形の噴水が据えてある。前庭の巨大噴水の半分のサイズにも満たないが、歴史的な建造物から移築した由緒正しいものらしい。中央のポセイドンを模した鋳鉄《ちゅうてつ》の彫像から水が噴き出して、ドーナツ状のプールに降り注いでいる。

プールにひたひたに満ちている水が気持ちよさそうで、蓮は誘惑に抗えず、内羽根式のオックスフォードシューズを脱いだ。シルクの靴下も脱ぎ、靴の中に突っ込む。ついでにバタフライタイを取り、シャツの第一ボタンを外した。首回りが一気に楽になる。

解放感のままに裸足《はだし》で噴水の縁に立ち、ぴょんっと中に飛び込んだ。ばしゃんっと水飛沫《みずしぶき》が上がる。エルバも喜んで水に入ってくる。熱帯雨林育ちのジャガーは泳ぎも得意だ。

水の中にいったん潜ったエルバが濡れた体をぶるるっと震わせ、飛んできた水滴で蓮はびしょ濡れになった。

「こらっ……」

お返しとばかりに、蓮もエルバにバシャッと水をかける。

「グォルルル」

「うわっ……跳ねるなって！」

「ガルッ」

溜まっていた鬱憤《うっぷん》を晴らすように、蓮は童心に返ってはしゃいだ。エルバとこうしているとジャングルに戻ったみたいだ。

ひさしぶりの水遊びに夢中になっていた蓮は、背後から近づく人の気配に気がつかなかった。

「こんなところで水浴びかい？」

突然声をかけられ、びくっと肩を揺らす。くるっと身を翻《ひるがえ》すと、見知らぬ男が立っていた。

（……いつの間に？）

銀の髪にサファイアのような青い瞳を持つ、妙にゴージャスな男だ。

テイルコートの中に襟の付いた白のベストをつけ、バタフライタイも白。胸ポケットにも白のチーフ。

ブレード付きの下衣にリボンオペラパンプスといった隙のない着こなし。

エストラニオの上流階級とはほぼ面識があるはずだが、こんなに目立つ男が記憶にないなんておかしなことだ。外国からのゲストだろうか。

「……失礼ですが？」

美貌の男が形のいい唇で「ガブリエル」と名乗る。

「きみはレンだね？」

「なんで俺のこと」

「この国できみのことを知らぬ者などいないよ。きみはいずれ大統領と同等の……いや、それをも凌《しの》ぐ強大な力を持つようになる。誰もがきみと親しくなりたがっている。かくいう私もそうだ」

「………」

蓮は得体の知れない男にうろんな眼差しを向けた。エルバが「グォルルッ」と唸《うな》る。

「怖いね」

ちっとも怖そうじゃない顔つきで男が言った。その口許には微笑さえ浮かんでいる。

「今日は軍人上がりの騎士は？」

「騎士……って鏑木？」

「そう、いつもきみの背後に立って周囲に睨みをきかせている日系の彼だよ。彼と、その黒い獣のせいで、誰もきみに近づけない。だがおかげできみはイノセントなままだ」

囁《ささや》くように言って男が近づいてきた。噴水の縁に片足を掛け、身を乗り出すようにして白い手袋を嵌《は》めた手を伸ばす。指先が蓮の顎に触れた。

「……さわるな！」

顎にかかった手をパシッと払うと、男がいよいよ笑みを深める。

「知っている？　きみの瞳は感情が昂《たかぶ》ると碧《みどり》に光るんだ。きみのマーイと同じ色にね」

「マーイ？　イネスを知っているのか？」

微笑みを唇に刻んだまま男は答えない。

「あんた……なんなんだよ？」

蓮が眼光を強めた時、聞き覚えのある声が聞こえてきた。

「蓮！　どこだ、蓮！　返事をしろ！」

鏑木の声だ。ボディガードから連絡を受けて捜しに来たのだろう。

「おっと、邪魔が入ったようだ。軍用犬は鼻が利《き》くね」

男がすっと身を引き、噴水から足を下ろす。

「私を忘れないで、レン。私たちは必ずまた会うことになる」

謎の言葉を残し、男は踵を返した。テイルコートの裾を翻し、カツカツと靴音を立てて暗闇の中へと消えていく。

入れ違いに、男が消えたのとは反対の方角から鏑木が姿を現した。

「蓮！」

噴水の中に佇《たたず》む蓮を見つけて、鏑木が駆け寄ってくる。

「やっぱりここか！　捜したぞ」

近くまで来て足を止めた鏑木が、ずぶ濡れの蓮とエルバに顔をしかめた。苦い表情で、ふーっと嘆息を零す。

「タキシードで水浴びか？」

「…………」

反応がない蓮を訝《いぶか》しく思ったらしい鏑木が「蓮？……どうした？」と問いかけてきた。

男の消えていった闇を見つめていた蓮は、ふるっと首を振り、視線を鏑木に向ける。

「……なんでもない」

「おまえな、いくらパーティが嫌いだからってボディガードたちが気の毒だろう。二人とも真っ青になっておまえを捜し回っているぞ。たとえ屋敷の中でも単独行動はするなとあれほど……」

「鏑木が遅刻するのが悪い」

蓮の反撃に鏑木がうっと声を詰まらせた。

「……俺を一人にするのが悪い」

繰り返して睨みつけると、気まずい顔で髪に手を突っ込む。オールバックをざっくり掻き乱してから両手を挙げて広い肩を竦《すく》めた。

「わかった。確かに俺が悪い。遅れた俺が悪かった」

先に折れた鏑木が、蓮のほうに片手を差し出す。

「ほら」

その手を摑んで蓮は噴水の縁に上がった。ズボンの裾から大量の水が滴る。

「まったく、せっかくのタキシードがびしょ濡れだ……仕立屋が泣くぞ」

嘆きの声を発しながら、鏑木がもう片方の手を伸ばしてきた。その手を何気なく取った次の瞬間、体がふわっと宙に浮く。鏑木がいとも簡単に蓮を肩に担《かつ》ぎ上《あ》げたのだ。

「かっ……鏑木っ!?」

予想外の攻撃に虚を衝かれ、蓮の口から裏返った声が飛び出す。

「おっ……下ろせってば！」

「ずり落ちるから暴れるな」

軽くいなした鏑木が、蓮を担いだまま身を屈《かが》め、脱ぎ捨ててあった革靴を二足まとめて拾い上げた。蓮を肩に、革靴を手に歩き出した鏑木を、エルバがタタッと追う。

「靴返してくれたら自分で歩けるって！」

「高価な靴が濡れるだろ。いくらすると思ってる？」

「だっ……でも重いだろ？」

「全然。随分《ずいぶん》成長したと思っていたが……まだまだ軽いな。こんなんじゃ未来の花嫁をベッドまで運べないぞ？」

「うるさいっ」

鏑木がははっと笑った。

（くそっ……ガキ扱いしやがって）

はじめは腹が立っていたが、頑強な肩に摑まってゆらゆら揺れているうちに、だんだんとどこか懐《なつ》かしい気分になってくる。

昔はよくこんな感じで肩車やおんぶをしてもらった。

ジャングルからこっちに来て一年くらいは、鏑木は毎日欠かさず顔を出して、時間が許す限りそばにいてくれた。誕生日もクリスマスもニューイヤーも一緒に過ごした。

あの頃の鏑木は蓮の護身術のマスターであり、遊び相手であり、相談相手でもあった。

最近は鏑木も仕事が忙しくなって、そんなに頻繁に立ち寄れなくなり、一週間に一度か二度会えればいいほうになってしまったけれど……。

　揺るぎない足取りでベンチまで辿り着いた鏑木が、座面に蓮を下ろす。足許に靴を置き、ジャケットの内ポケットからハンカチを取り出した。

「これで拭《ふ》け」

　蓮は素直に鏑木のハンカチで濡れた足を拭く。

　先程のナオミとの絡みで胸に生じたわだかまりが、完全に消えたわけじゃない。だけど十日ぶりに鏑木の顔を見て、言葉を交わして触れ合ったことによって、このところ荒れ模様だった心中が少しばかり凪《な》いだのは事実だった。

　男が自分にとって精神安定剤の役割を果たすのは、出会った頃から変わらない。

「履けたか？」

「うん」

「……じゃあ行こう」

「どこへ？」

　顔を上げた蓮を、鏑木の灰褐色の瞳がまっすぐ見据える。

「グスタヴォ翁が呼んでいる」

「………っ」

　ひとときのおだやかさを取り戻した心の海が、ふたたび時化《しけ》る予感に、蓮はこめかみをぴくりと引《ひ》き攣《つ》らせた。

祖父との冷たい関係は、初対面から六年の年月が過ぎた現在でも変わらない。

大勢のボディガードを引き連れ、常に忙しなく屋敷を出入りしている祖父と蓮は、同じ敷地内に暮らしているにもかかわらず、ほとんど接点がなかった。

たまに晩餐《ばんさん》で同席する機会があっても、会話はまったくと言っていいほど弾まず、始終重苦しい沈黙に支配される。料理長が腕をふるったせっかくの料理も味がしない。

そのため、蓮は祖父との同席をなるべく避けた。できるだけ顔を合わせることのないよう、祖父のテリトリーに立ち入らないよう腐心した。

この点に関しては敷地が広大なのが功を奏していた。棲《す》み分《わ》けて暮らそうと思えば暮らせるからだ。

それでも稀に顔を合わせれば、必ず悪意が籠《こ》もった誹《そし》りを受けた。

はじめの頃は「薄汚い子供」。

数年経って肌の色が落ち着き、服装や髪型が洗練されたことでやっと言われなくなったかと思ったら、今度は「日本人のようだ」攻撃が始まった。ことあるごとに吐き捨てるような口調で「ジャポネス」と罵られる。

先日顔を合わせた際の第一声は、「おまえは日々父親に似てくるな」だった。

そう告げた祖父の声は嫌悪の感情が剝き出しだった。

祖父はいまだにイネスを誑《たぶら》かした男――マナブを激しく憎んでいる。

だから、マナブの血が半分流れている証《あかし》である、蓮の黒髪と黒い瞳を忌み嫌う。

穢《けが》らわしいものを見るような目で蓮を見る。

でも、父親に似てきたと言われても蓮自身はぴんとこなかった。

実の父の顔を覚えていないし、写真ですら見たことがなかったからだ。

蓮にとって父と言えばジャングルの父だ。

顔も知らない遺伝子上の父に似ているからと忌み嫌われても、どうすることもできない。

六年変わらず気持ちの通じ合わない祖父は、普段は蓮の存在を無きもののように無視しているが、気に入らないことがあって文句を言う時だけ今夜のように呼び出す。

祖父の部屋に向かう蓮の足取りは重かった。

また嫌みを言われるのか。それとも小言か。

どのみち気が重いことに変わりはなかった。

呼び出しを無視して応じないという選択もあったが、それをやれば鏑木が祖父に咎《とが》められる。

自分の代わりに鏑木が叱責を受けることを厭《いと》う蓮の心情を読んで、祖父はわざと鏑木を伝達係に使っている節があった。

その鏑木も言葉数が少ない。かすかに苛立っているのが気配でわかる。

鏑木自身、祖父に命令されれば従わざるを得ないおのれの立場に葛藤を抱えているんだろう。

鏑木の一族は代々側近としてシウヴァの当主に仕えてきた。

鏑木家の当主であるいまは鏑木は、マスターである祖父に逆らうことは許されない。それをすれば、長きに亘《わた》って培われてきた主従関係が壊れる。

鏑木は、先代であるいまは亡き父親から「シウヴァを支えろ。それが鏑木の宿命であり、当主となるおまえの使命だ」と一族の命運を託されたらしい。遺言に背くわけにはいかないはずだ。

長く側にいて鏑木の苦しい立場を誰よりわかっているからこそ、蓮も祖父の呼び出しに応じるしかなかった。

蓮はいったん部屋に戻り、濡れた衣類を着替えてから祖父の部屋へ向かっていた。

濡れたタキシードを見られたら、それこそ嫌みを連発されるに決まっている。エルバも部屋に置いてきた。祖父はエルバを「黒い獣」と呼び、忌み嫌っているからだ。

祖父の部屋が見えてきた。モルフォ蝶が刻まれた二枚扉に近づくにつれ、胃のあたりが重苦しくなってくる。

六年前、やはり鏑木に連れられて、この部屋を訪れた時のことが思い出される。

あの時はまだ、初めて会う肉親に「あたたかいもの」を期待していた。その淡い期待は一瞬にして粉々に打ち砕かれたけれど……。

鏑木が足を止め、祖父の部屋のドアをノックした。

「セニョール・シウヴァ、蓮様をお連れしました」

「入れ」

嗄《しゃが》れたいらえを待って、二人で部屋の中に入る。シノワズリの家具で統一された前室を通ってアーチ形の入り口をくぐり、主室に足を踏み入れた。

たくさんの肖像画と書架で壁が埋め尽くされた部屋だ。肖像画に描かれた古めかしい衣装の男女はすべて蓮の祖先という話だが、親近感は湧かない。ポルトガル王家の流れを汲む家柄だと聞かされた時も、どこか他人事《ひとごと》のように「ふーん」と思っただけだった。

シャツの上にナイトガウンを羽織り、首元からアスコットタイを覗かせた祖父は、書斎の肘掛け椅子に座っていた。

屋敷でパーティが開かれている夜でも、祖父は会場に姿を見せず、自分の部屋に籠もっている。ロペスによれば、「旦那様はイネス様がお屋敷を出られてこのかた、社交の場にはお顔をお出しになりません」とのことだ。

イネスの駆け落ち以降ぐっと老け込んで性格も変わり、以来仕事の場は別として、人目を避けるようになったと鏑木も言っていた。

肘掛け椅子に歩み寄った蓮は、鏑木と並んで祖父の前に立つ。

何度か邸内で見かけたことはあったが、まともに顔を合わせるのは実に一ヶ月ぶりだ。

豊かな白髪《しらが》に秀でた額、高い鼻、窪《くぼ》んだ眼窩《がんか》。碧の目から放たれる眼光は変わらずに鋭いまま。

けれどここ一年ほど、遠目に見る祖父が一回り小さくなったように感じることがある。

いまも目の前の顔は土気色で、ひどく疲れて見えた。

(年……取ったな)

考えてみれば祖父も七十を過ぎている。いかに『エストラニオのコンドル』といえども、忍び寄る老いからは免《まぬか》れられないのかもしれない。一方で、ファーストインプレッションの刷り込みか、祖父を前にするといまだに緊張する自分は、あまり成長していないように思える。

そんなことを考えていると、嗄れた声に「レン」と呼ばれた。とたんに背筋にぴりっと電流が走る。蓮は姿勢を正した。

「はい」

「気に入った女は見つかったか？」

やはりその件かと苦い思いを噛み締めつつ、嘘はつけずに首を横に振る。

「……いいえ」

祖父が不機嫌そうに片眉を持ち上げた。

「一人もか？」

「……はい」

祖父の碧の目が憤怒《ふんぬ》に光る。

「なんのためのパーティだと思っておる。おまえの花嫁候補を絞り込むためだぞ」

そんなことはわざわざ言われなくとも百も承知だ。

「同じことを何度も言わせるな。一刻も早く妻を娶り、世継ぎを作れ。それがおまえの義務であり唯一の『仕事』だ」

「………っ」

それ以外に存在意義がないような口ぶりに、ぎゅっと奥歯を噛み締める。口許を引き攣らせる蓮を冷ややかに見据え、祖父が言葉を重ねた。

「法律上は一人しか娶れんが、気に入った女がいれば囲ってどんどん子を産ませろ。この際多少血統は劣っても構わん。質より数だ」

女性の基本的人権を無視した発言に唖然とする。

「生まれた子供はシウヴァが全員引き取って育てる。跡継ぎ候補は多ければ多いほどいい」

祖父の暴言は止《とど》まるところを知らなかった。

「なにかあった際にスペアがあれば替えがきくからな」

人を人とも思わぬ物言いに、ついに忍耐も限界を迎え、蓮は祖父を睨みつける。

「なんだその目は？　ワシに逆らうのか」

「…………」

憤然とする祖父を無言で睨み続けた。握り締めた拳《こぶし》が小刻みに震える。

「――蓮」

傍らの鏑木に諫《いさ》めるように名前を呼ばれ、蓮ははっと我に返った。

（……いけない）

自分が逆らえば、その余波が鏑木に及ぶ。

あわてて祖父から目を逸らしたが遅かった。

「ヴィクトール！」

苛立った声が鏑木を呼んだ。

「おまえがついていながらどうしたことだ。もう三ヶ月だぞ？　早く女を選ばせろ！」
案の定、祖父は鏑木を叱りつけた。

「申し訳ございません」

鏑木が謝罪を口にする。深くこうべを垂れてから、ゆっくりと顔を上げて主を見た。

「しかしこういったことはタイミングもありますし、蓮様はまだ十六歳です。成果を急ぐばかりにお気持ちが伴わない結婚をしても……」

「言い訳は聞き飽きたわ！」

祖父が腹立たしげに吐き捨てる。

「ワシが欲しいのは結果だ。おまえの父親は必ず結果を出したぞ」

前任者である父親を比較対象に持ち出され、鏑木が表情を強ばらせた。その顔を目の端で捉えた蓮の胸はぴりっと痛む。

自分のせいで鏑木が叱責を受けるのが心苦しい。

自分が責められるより、鏑木が責め立てられるほうが心情的に辛かった。

鏑木は「いつか必ず心が通い合う」と繰り返し言う。

それまでは耐えてくれ、と。

その言葉を信じて六年が過ぎた。

けれど、祖父が自分に家督を維持するための道具以外の存在価値を認めない以上、お互いの間の溝が埋まるとは到底思えなかった。

VI

どうやらパーティは主役の蓮《れん》不在のままお開きになったようだ。

祖父の部屋を出て本館に戻ると、つい一時間前はゲストでごった返していた館内が閑散としていた。生演奏の調べも途絶え、使用人たちが黙々と後片付けに勤《いそ》しんでいる。

イベントが賑やかであればあるほど、終了後にはその反動がくるものだ。祭りのあとの虚無感のようなものが『パラチオ　デ　シウヴァ』全体を覆っているように感じられた。

今夜もまたはかばかしい成果が得られなかったことを、使用人たちも感じ取っているのかもしれない。ロペスを筆頭にした使用人たちにも、そろそろ週末毎のパーティの疲れが出てきているはずだ。

一体この花嫁探しのイベントはいつまで続くのかと内心辟易《へきえき》しているに違いない。

祖父と違って言葉に出して蓮を責めることはないにせよ。

周囲からの無言の圧力。祖父からの直接の非難。外野からの好奇の眼差し。

(なにもかも……うんざりだ)

鏑木《かぶらぎ》と並んで廊下を歩く蓮の顔は、祖父の部屋を出る前からの心情を引き摺り、険しいままだった。呼び出されて部屋に向かう道中も気が重かったが、いまはそれに苛立ちと徒労感が加わっている。

祖父と話したあとは、いつも同じように心が荒む。

この六年間、それでもはじめの頃は鏑木の助言を受けて、蓮なりに祖父に歩み寄ろうとしたこともあった。

晩餐《ばんさん》で顔を合わせた時に自分から話しかけたり、誕生日にカードを渡したり、クリスマスにプレゼントを渡したりと、蓮としては精一杯祖父に働きかけた。

だがどれも空振りだった。話しかけては煩《うるさ》そうな顔をされ、カードにもプレゼントにも反応はなく……

二年ほどがんばって続けたが、結局虚しくなってやめてしまった。

パーティだって本当は出たくない。けれど主役が欠席したらマスコミにスキャンダルとして書き立てられ、シウヴァの体面に傷がつくだろうと思うから仕方なく参加しているのだ。

不承不承ではあっても、当主である祖父の意向に従っている。

それなのに……。

——同じことを何度も言わせるな。一刻も早く妻を娶《めと》り、世継ぎを作れ。それがおまえの義務であり唯一の『仕事』だ。

祖父にとって自分は世継ぎを作るための道具。それ以上でも以下でもない。

おそらくは、憎い男の面影を宿す自分をスキップして、曾孫《ひまご》の世代に家督を継がせたいのだろう。

だから結婚を急がせる。

薄々わかっていたことではあったが、ああもはっきり口に出されると精神的にきつかった。

自分は要《い》らない人間だと宣言されたようで……。

おまけにとばっちりで鏑木まで叱責を受けた。

――おまえがついていながらどうしたことだ。もう三ヶ月だぞ？　早く女を選ばせろ！

――言い訳は聞き飽きたわ！

――ワシが欲しいのは結果だ。おまえの父親は必ず結果を出したぞ。

自分が花嫁を決めない限り、鏑木は祖父に無能の誹《そし》りを受ける。

他をすべて完璧にこなしても、守り役としての任務を遂行できていないというただそれだけで、前任者である先代より劣っていると詰《なじ》られる鏑木が不憫《ふびん》だった。

自分が知る範囲では、鏑木は祖父にすごくよく尽くしている。側近としてかなり有能だと思うし、本来なら無能呼ばわりされる謂《い》われはないはずだ。

理不尽な扱いを受ける鏑木の心情を思うと切ない。早く重圧《プレッシャー》から解放してやりたいとも思う。でもそのためには自分が結婚しなければならなくて……。

(もしかして)

思考の流れでふと気がついた。

二人ともいい年なのに鏑木が婚約者のナオミと結婚しないのは、自分のせい？

シウヴァの嫁取り問題が片付かない限り、自分たちも結婚できないと思っているのかも……。

もしそうなら鏑木とナオミの両方に申し訳ない。

しかしだからといって、二人のために好きでもない娘と結婚はできない。

祖父のように、女性を世継ぎを産ませるための道具とはどうしても思えない。

蓮はまだ恋を知らない。

けれど、その女性《ひと》と会った瞬間に「わかる」のだと信じている。

イネスがマナブと出会い、家と肉親を捨てて駆け落ちまでしたように。

ジャングルの父と母のように。

いつか自分も絶対無二の運命の相手と出会うはずだ。

できればお見合いなんかじゃなくて自然な形で出会い、時間をかけてゆっくりと距離を縮め、お互いの気持ちが熟した時に一緒になる——というのが理想だ。

だからそれまでは、どんなに祖父に罵られても妥協するわけにはいかない。

蓮自身の腹は決まっているのだが、ことがシウヴァの存続にかかわる問題である以上、個人の意志を貫き通すのは容易ではなかった。

持って行き場のない鬱積《うっせき》を抱え、黙々と廊下を歩く。傍《かたわ》らの鏑木もさっきから無言だ。ちらっと横目で窺《うかが》う横顔は、深い思索に入り込んでいるように見える。鏑木のせいじゃないのにあんな酷い言われ方をして、内心忸怩《じくじ》たる思いがあるのだろう。

そう思うとこちらからも声をかけづらかった。

せっかく十日ぶりに会えて、いろいろ話したいこともあったのに……。

結婚問題が浮上した頃から、なんとなく鏑木との仲がしっくりいかなくなった気がする。

十六歳の誕生日を境に、蓮は否応《いやおう》もなく「家」を背負わされるようになり、取り巻く状況も一変してしまったからだ。

鏑木との間にも、常に「シウヴァ」という大きな壁が立ち塞がるようになって……以前のように無邪気に甘えられなくなった。

　自分が変な負い目を抱いてしまうからいけないのかもしれないけれど。

（さっきはひさしぶりに昔に戻ったみたいな雰囲気だったのに……）

　それも祖父の呼び出しで台無しだ。

　悶々《もんもん》としていると鏑木が足を止めた。つられて蓮も足を止める。傍らの鏑木を見上げ、立ち止まった理由を目で問いかけた。

　しばらく黙って蓮の顔を見つめたのちに、鏑木が「蓮」と呼ぶ。

「……なに？」

「おまえ、本当に好きな娘《こ》はいないのか？」

　真剣な顔で問われ、蓮は返答に詰まった。

　鏑木が望む答えはわかっていた。だからといって嘘はつけない。

「いない」

「気になる娘もか？」

　重ねられた問いにも首を横に振った。

「……そうか」

　ため息混じりのつぶやきに、胸がちりりっと痛む。

　やっぱりがっかりさせてしまった。

　期待に応《こた》えられない自分が歯がゆく、そっと唇を噛んでいると、鏑木がぽつりと低音を落とす。

「翁も昔はあんなふうじゃなかったんだ」

蓮は「え？」と聞き返した。

「家族思いで子煩悩で……若くして亡くなられた奥様をとても愛していらした」

「お祖母《ばあ》さんを？」

蓮は祖母の顔を肖像画でしか知らないけれど、ノーブルな美貌の女性であったのはその絵から窺えた。

——とはいえ。

「……本当に？」

覚えず疑わしげな声が出る。あの冷徹を絵に描いたような祖父に、ごく普通の家庭人みたいな顔があったのが信じられなかった。

「本当だ。その証拠に奥様が亡くなったあとも後添えをもらわなかった。亡き妻に操を立てているのだともっぱらの評判だった」

言われてみればそうだ。祖父ほどの財産と地位があれば、後妻になりたい女性はたくさんいたはず。なのに現在まで独身を貫き通している。

それだけ亡き妻を愛していた？

祖父にそんな純真な一面があったなんて、なんだかしっくりこないけど。

「しかし……その一途な想いがシウヴァを追い詰める結果となってしまった。再婚してニコラスとイネス以外にも子を成《な》しておけばよかったと後悔しているのかもしれないな」

あの祖父が後悔？

　ますます似合わない。

「ニコラスとイネス以外に後継者がいれば、まだ年若いおまえにここまでの負担を強いることもなかっただろうし、翁も早々に引退して悠々自適のセカンドライフを送れたのかもしれない」

「………」

「七十を過ぎた身で、エストラニオ屈指の要人として、また経営者として、あれだけの責務を負うのは並大抵のことじゃない。重圧によって日々神経をすり減らし、体力の消耗も激しい。それでもシウヴァの当主としての責任感とプライドから、気力を振り絞って第一線に立っている。それがどれだけ大変なことか、翁の側にいる俺にはわかるんだ」

　側近ならではの見解に、蓮は耳を傾けた。

「昔と同じようにはできない自分への苛立ち、後悔や焦燥……そういった感情が胸中で複雑にせめぎ合い、さっきみたいな厳しい言葉や態度となって出てしまっているのだと思う」

　鏑木の推測を聞いて腑に落ちるところもあったが。

「それにしたって、もう少し言い様があると思うけど」

「……そうだな」

　蓮の反論を否定せず、鏑木がうなずいた。

「ただ翁は次々と大切なものを失って深く傷つき、心が凍《い》てついてしまっているんだ。おそらく、傷つきすぎて愛情をどう表現すればいいのかわからないのだろう。それにも増して、代々続いたシウヴァの家督を自分の代で途絶えさせるわけにはいかないという焦りが強い。おまえへの愛情を認めたら、おまえに婚姻を強いることが心情的に難しくなる。それはシウヴァ存続の危機に繋《つな》がる。そう考え、おまえへの愛情を無意識のうちにセーブしているのかもしれない。俺には、翁が嫌われ役を演じることでわざとおまえを遠ざけ、おまえとの間に距離を置こうとしているように見える」

すんなり全部を呑み込めたわけではなかったけれど、鏑木の言いたいことはなんとなくわかった。

「お祖父《じい》さんも苦しんでいる……ということ？」

「ああ……おまえを受け入れたくてもそうはできないジレンマがあるんだ。それもこれも、シウヴァが国をも揺るがす巨大な権力を有するが故だ」

厳しい顔で鏑木が告げる。

「そうは言っても翁が難しい人であることには変わりがない。彼のすべてを受け入れろとは言わない。だが嫌わないでやってくれ。憎しみはなにも生まない」

「…………」

いままで、自分に辛く当たる祖父の苦しみについては考えたことがなかった。

自分が父親似だから嫌いなんだろうと単純に考えていた。もちろん、それもひとつの要因ではあるのだろうと思う。家を出た母との確執も、いまだわだかまりとして根深く残っているはずだ。

でも、自分を突き放すことで祖父自身も苦しんでいるというのは、思ってもみなかった見解だった。

祖父自身ですら気がついていないかもしれない深層心理を推し量ることができる鏑木は、やっぱりすごい。

それだけ親身に祖父のことを考えている証拠だろう。

どんなに詰られても詐られても、鏑木は祖父を庇う。その忠誠は一枚岩のごとく揺るぎない。

そこまで鏑木に尽くされている祖父が少し羨《うらや》ましかった。

(羨ましいってなんだよ……)

鏑木が祖父に尽くすのは「仕事」だ。鏑木の一族は代々シウヴァに仕えてきた。鏑木自身、生まれた時からその宿命を背負わされている。彼に選択権はないんだ。

そんなのわかっていることなのに胸がざわつく。

これじゃまるでお祖父さんに嫉妬してるみたいじゃないか。

おのれの狭量さを自覚して気まずさが込み上げ、蓮は鏑木から視線を逸らした。俯《うつむ》き加減《かげん》につぶやく。

「どうせ嫌われてるからって避けてきたけど、お祖父さんのこと……少し考えてみる」

「蓮」

鏑木がうれしそうな声を出した。

そんなに祖父が大事なのかと、ちょっとムカッときて顔を振り上げる。

「でもそれと結婚は別の話だから」

ぴしっと釘を刺すと、鏑木が複雑な表情を浮かべた。

「それは……わかっている」

嘆息を押し殺すような物言いに苛立ちが募る。

なんだよ？　その聞き分けのない子供を見るような目つきは。

鏑木もさっさと結婚すればいいって思ってるってこと？

（俺が片付いたら自分も結婚できるから？）

パーティ会場で見たナオミと鏑木のツーショットが蘇ってきて、首の後ろがチリッとした。

まただ。首筋が灼《や》けるみたいな感覚。

首の後ろがひりつくこれがなんなのかわからないままに、気がつくと刺々《とげとげ》しい声が零れ落ちていた。

「パーティにはもう出ない」

「蓮？」

「鏑木からお祖父さんにそう伝えて」

鏑木が眉をひそめる。

「おまえ……」

「三ヶ月我慢したけどやっぱりこんなの意味ない。使用人も疲れてきているし、近隣諸国にまで招待状をばら撒《ま》いたところで、お祖父さんの望む条件をクリアできる女性は限られている。今夜のパーティでいい加減打ち止めだろ？　それに……」

蓮は鏑木を挑むように睨《にら》みつけた。

「鏑木だってわかってるはずだ。その気のない俺に何百人会わせたって意味がないって」

言うなり、痛いところを突かれた顔つきの鏑木を置いて、一人歩き出す。

背後が気になったけれど、痩せ我慢して振り向かずに歩き続けた。

鏑木は追って来なかった。

廊下で別れたのを最後に、鏑木と顔を合わせる機会のないまま一週間が過ぎた。

従って鏑木が祖父にどう伝えたのかはわからなかったが、結果的にその週末、パーティは開かれなかった。

ロペスをはじめとした使用人たちが、ほっとしているのが邸内の空気から伝わってくる。

それだけでも、祖父の不興を買うのを承知でパーティへの出席を拒否してよかった。

その祖父ともこの一週間顔を合わせていない。

蓮のほうが祖父とバッティングする可能性がある場所を避けて過ごしたせいか、それともそもそも屋敷におらず、どこか国外に出ているのか。蓮は祖父のスケジュールを把握していないのでわからない。

だがいずれにせよこの一週間、祖父からの呼び出しはなかった。

まず間違いなく呼び出されて叱りつけられると覚悟していたので、若干《じゃっかん》肩透かしを食らった気がしないでもないが、祖父の不機嫌な顔を見ずに済むならそれに越したことはない。

呼び出しがなく、パーティも開かれなかったということは、祖父が自分の意向を受け入れてくれたと考えていいのだろうか。

無論、喜んでそうしてくれたとは思わない。きっとかなり渋々だろうけれど——。

鏑木に「お祖父さんのこと、少し考えてみる」と言ったのは本心だし、結婚問題についても一度きちんと祖父と話し合って、自分の考えをわかってもらう努力をしなくちゃいけないと思っている。

苦手だからと逃げてばかりじゃ駄目だと、この前鏑木と話して気がついた。

ただ……すぐにはその気力が湧かない。

とりあえずこの週末は、束の間の休息を与えられたと考え、羽を伸ばすことにした。

エルバと敷地内を散歩をしたり、愛馬で馬場を駈けたり、乗馬のあとで馬のケアをしたりと、ゆったりとした時間を過ごす。平日はびっしりカリキュラムやレッスンで埋まっているので、自分のペースで動けるのは週末しかない。その週末がここ三ヶ月ずっとパーティ続きだったせいで、精神的なストレスに加え、肉体的な疲労もピークにきていた。

ひさびさにリフレッシュできた土曜日も終盤。

お湯にゆっくり浸かって肩や首筋の凝《こ》りを解《ほぐ》した蓮は、ドライヤーでざっくり乾かした髪をタオルドライしながらソファに腰を下ろした。足許にはエルバが寝そべっている。今日は一日一緒に遊んだのでその表情は満足げだ。

この屋敷に来たばかりの頃は、ロペスが付きっきりであれやこれやと世話を焼いてくれたが、半年が過ぎた頃から「できることは自分でやる」と宣言し、身の回りのことは自分でするようにした。もともとジャングルにいた時はなんでも自分でやっていたし、ひととおりどこになにがあるかを覚えてしまえば問題なく対処できた。

もっとも「使用人の仕事を取り上げてはならない」のはわかっているので、掃除や洗濯、ベッドメーキング、衣類や靴の手入れなどは部屋付きのハウスキーパーに任せている。

ここの生活ルールにある程度従うのは仕方がないにしても、どっぷり依存してしまうのは嫌だった。使用人がいなければなにもできないような人間にはなりたくない。

いつか……ジャングルに戻れる日がくるかもしれない。

あるいはこの屋敷を出て一人で暮らす日がやってくるかもしれない。

その希望や可能性を捨てたくなかったからだ。

タオルを首にかけた蓮は、コンソールテーブルの上の写真立てに手を伸ばした。

前方に父と母、二人の後ろにアンドレが立っている写真。三ヶ月前の蓮の誕生日に、カードと一緒に届いた家族の近影だ。

三人はいま、生まれ故郷のジャングルに程近い地方都市で暮らしている。

父は小さな珈琲《コーヒー》農園《のうえん》を営み、母もその仕事を手伝っている。そのせいか、相変わらず二人とも陽に焼けていた。笑顔も変わらない。以前と違うのは服装だ。華美ではないが、仕立てのよさそうなこざっぱりとした身なりをしている。

兄のアンドレは大学生。すっかり大人びて父より頭ひとつ分背が高く、体つきも逞《たくま》しい。身内びいきかもしれないが、ハンサムで賢そうな顔つきをしていると思う。

目を細めて口許をきゅっと引き締めたアンドレは、よく知っている兄のようで兄じゃない。それもそのはず、もう六年も会っていないのだ。

電話で話したり、メールでのやりとりはあるが、ジャングルで別れてから家族と会ったことはなかった。

祖父がそれを禁じたからだ。

ホームシックはとうに乗り越えたが、それでも家族と顔を合わせることによって里心がつくのを恐れているのかもしれない。

その代わり、この六年間は、鏑木が窓口となって家族の生活を適宜《てきぎ》サポートしてくれた。蓮も鏑木にならば安心して家族を任せられる。

家族の生活の保障と引き替えに、シウヴァの後継者として都会で暮らした六年間。

こうして家族の笑顔を見ると、自分がここにいる意義を実感できる。意味があることなのだと思える。

だから蓮は、理不尽な仕打ちや辛いことが身に降りかかるたびに写真を見た。

ともすれば折れそうな心を、家族の笑顔で奮い立たせてきた。

肉体は離れていても、家族は心の支えだ。

「おやすみ……父さん、母さん、アンドレ」

就寝前の挨拶《あいさつ》をして写真を戻し、ソファから立ち上がった。寝室に向かうとエルバもついてくる。

寝台の枕元のライトを点けた蓮は、ラグに跪《ひざまず》いた。寝間着の襟元から母にもらった十字架を引っ張り出し、夜の祈りを捧げる。胸の前で十字を切ってから、振り返ってエルバの頸《くび》にピタピタと手で触れた。

「おやすみ……エルバ」

「グルルル……」

エルバが寝台の足許に横付けされたフットレストに飛び乗る。ここがエルバの夜の定位置だ。蓮は、定位置についたエルバの首輪に鎖を繋ぎ、鎖の反対端のフックを寝台の支柱の金具にカチッと嵌《は》めた。

エルバを飼う条件として、就寝時や公式の場では檻《おり》に入れるか、もしくは鎖で繋ぐか、いずれかを守ることを祖父と約束したのだ。蓮にとってエルバは「弟」だが、猛獣であることもまた覆《くつがえ》しようのない事実なので、その条件を呑むしかなかった。

天蓋《てんがい》付きの寝台に登った蓮は、デュベを捲《めく》って中に体を滑り込ませる。枕に後頭部を沈めて目を閉じた。

ここに来て二ヶ月くらいは寝室で眠れず、バルコニーに簡易ベッドを置いてもらってそこで眠っていた。鏑木がジャングルからエルバを連れてきてくれて、ここでの生活に順応し始めた頃から、徐々に寝室でも眠れるようになった。

本来蓮は寝付きがいいほうだ。だけど今日はなかなか眠りに入れなかった。

ベッドの中でごろごろと寝返りを打つ。ポジションを変えてもいっかな訪れない睡魔にため息が漏れた。

駄目だ。眠れない。今朝はロペスが気を遣って起こしに来なかったので、ゆっくりし過ぎたせいかもしれない。

暗闇の中でむくりと起き上がり、枕元のライトをぱちんと点ける。ナイトテーブルに手を伸ばして読みかけの本を摑んだ。ハードカバーの表紙を開こうとして、ふと手が止まる。この本を薦めてくれた男の顔が浮かんだからだ。

(……今日も顔を出さなかったな)

一週間前の、鏑木との別れ際の顚末《てんまつ》を思い起こす。

あの時……なんでかすごく鏑木に苛ついて、捨《す》て台詞《ぜりふ》みたいな物言いを残して立ち去ってしまった。

あれ以上一緒にいたら、もっと酷い言葉を投げつけてしまいそうで……。

鏑木も追って来なかった。

その後、音沙汰がないままに一週間が過ぎた。

仕事が忙しいんだろうけど、それにしたって電話の一本もかかってこないのはめずらしい。祖父のお供で国外に出ているんだろうか。それとも。

（怒ってる……？）

ふっと閃《ひらめ》いた思いつきに、蓮はドキッとした。

いままで一度もその可能性について考えたことがなかった。

蓮がどんなにわがままを言っても、いつだって鏑木は鷹揚《おうよう》に受けとめてくれたから。

無理難題をふっかけても、しょうがないなと笑ってなんとかしてくれた。

だからつい、その包容力に甘えて、今回も面倒を押しつけてしまった。

――パーティにはもう出ない。

――鏑木からお祖父さんにそう伝えて。

もしかして伝えた際にすごく祖父に責められた……とか？

罰として自宅謹慎を命じられてる……とか？

不穏な考えが次々脳裏に浮かび、だんだん落ち着かない気分になってきた。

不意に足許のエルバがむくっと身を起こす。ピンと耳を欹《そばだ》て、ドアのほうをじっと見つめた。

けれど一週間遅れの後悔に囚われていた蓮は、エルバの様子に意識を払う余裕がなかった。

眉間《みけん》にくっきり縦皺《たてじわ》を寄せて親指の爪を噛む。爪噛みはマナー講師に禁止されていることも頭から抜け落ちていた。

卑怯だった。

直接自分で祖父に言うのが嫌なあまりに、鏑木に損な役回りを押しつけてしまった。

その結果鏑木が祖父に叱責されるであろうことなんて、よく考えなくてもわかることだったのに。

どうしよう。……今更だけど明日の朝いちで謝る？

（メールより電話のほうがいいよな）

でも、出てくれなかったら？

考えているうちに、思考がマイナスの坂を転がり落ちていく。

もし、着信拒否されたら？

最悪のケースを思い浮かべ、爪を噛みながら悶々としていると、コンコンとドアが鳴った。

「……っ」

蓮の肩がびくっと震え、エルバが「グルルルッ」と唸る。

こんな時間に誰だ？　ロペス？

蓮は寝室のドアをじっと見据えた。

寝室に鍵はかけていないが、主室のドアにはかかっている。そしてその鍵を持っている人間は限られる。

自分とロペスと、有事に備えて鏑木の三人だけだ。

（まさか……鏑木？）

息を詰める蓮の視線の先で、ドアが静かに開く。

そこに立っていたのは、真っ赤なドレスの見知らぬ女性だった。

年の頃は二十代半ばくらいで、くっきりとした眉、褐色の大きな瞳と肉感的な唇が印象的な美人だ。ブルネットのヘアが、乳白色の豊かな胸元で波打っている。

(誰?)

突然現れた見知らぬ女に驚きつつ、蓮は記憶を探った。

パーティで会った花嫁候補の誰かだろうか?

三ヶ月で二百人以上と会ったので全員の顔は覚えていない。

だがもし仮にそうだとしても、なぜこんなところにいるのか。

脳内で膨らんだ疑問を口に出す。

「……誰?」

訝《いぶか》しげな問いかけに、女はひそめた小声で「マリアと申します」と答えた。

「マリア……?」

マリアがドアをパタンと閉める。

「どうやってここに入ってきた？」

蓮の質問には答えず、女は黙って自分の背中に手を回した。ファスナーをチリチリと下ろす音が静寂に響く。ほどなく赤いドレスがすとんと足許に落ちた。

「………!」

女は下着をつけていなかった。いきなり一糸まとわぬ全裸になった女に唖然とする。

蓮が呆気に取られている間に、ミュールを脱いで裸足《はだし》になったマリアがこちらに向かって歩き出した。

たわわな乳房とアンダーヘアを隠すこともなく、堂々と近づいてくる。

「グォルルルッ」

威嚇《いかく》の唸り声をあげたエルバが女に飛びかかろうとしたが、鎖が邪魔をして、中途半端な跳躍で床に着地する。

「ガルルッ……ガルッ」

口を大きく開けて吠《ほ》えるエルバに、女は怯《ひる》む様子を見せなかった。エルバを避けながら寝台の側面に回り込むと、まだ硬直が解けない蓮の前で両手を広げ、くるりと一回転した。

「ご安心ください。このとおりなにも持っておりません」

敵ではないことを蓮にアピールし、にっこりと微笑む。

「レン様はなにもなさらなくて結構です。すべてこのマリアにお任せください」

その台詞で漸《よう》く女の目的がわかった。

女の後ろで糸を引いているのが誰なのかも推測がつく。

おそらく……祖父の差し金だ。

花嫁探しが遅々として進行しないことに業を煮やし、強硬手段に打って出たに違いない。

カラクリが読めると同時に口の中が苦くなる。

パーティがなくなったのは、祖父が自分の意志を尊重してくれたわけじゃなかった。次の手を考えてのことだったのだ。

（……甘かった）

あの祖父がそう簡単に諦《あきら》めるわけがなかった。

おのれの甘さに臍《ほぞ》をかんでいる間に、マリアが寝台に乗り上げてくる。四つん這いで蓮の下半身に覆い被さってくるなり、デュベを剝いだ。蓮の寝間着の下衣に手をかけたかと思うと、抗う暇を与えずにずり下ろす。女の早業に押され、されるがままになっていた蓮は、その段ではっと我に返った。

「さわるなっ」

叫んで女の肩を突き飛ばす。

「あっ……」

マリアが後ろに反《そ》っくり返《かえ》った隙に身を翻《ひるがえ》し、寝台からひらりと飛び下りた。トンッと素足で床に着地するやいなや、寝室のドアに向かって駆け出す。

「レン様っ！」

マリアが追ってくる気配から逃れるように、蓮はドアを開けて続きの主室に飛び込んだ。

そこでびくっと立《た》ち竦《すく》む。

主室の中程に鏑木が立っていたからだ。

スーツのトラウザーズのポケットに両手を突っ込み、険しい顔つきで立ち尽くす鏑木に、蓮は完全に不意を衝《つ》かれた。

「鏑木っ⁉」

驚きのあまりに声が裏返る。

「おまえ……なんで？」

「…………」

鏑木は唇を引き結んで答えなかった。憤《いきどお》っているようにも、苛立っているようにも見えるその表情《かお》を食い入るように見つめながら、蓮の脳裏にある可能性が浮かび上がる。

(まさか……)

女を送り込んだのは……鏑木？

「おまえが鍵を開けて彼女を部屋に入れたのか？」

体を捻《ひね》って寝室と主室の狭間《はざま》に立つ全裸の女を指さし、蓮は厳しい声音で問うた。

「…………」

「答えろ！」

「……そうだ」

鏑木が静かに肯定する。

「なんでっ」

「グスタヴォ翁は、おまえが女性を知れば、結婚にも積極的になると考えている」

敢《あ》えて感情を排したかのような平淡な声で鏑木が答えた。

(やっぱり……！)

祖父が鏑木に命じたのだ。

こんなことを鏑木に命じる祖父にも、忠実に実行した鏑木にも腹が立って、カーッと鳩尾《みぞおち》が熱くなる。

ぐらぐらと頭が煮立った。

立場上、鏑木は祖父に逆らえない。命じられれば実行せざるを得ない。

それはわかっている。わかっているけど……頭で理解しているのと感情はまた別だった。

信じていた男に裏切られた気分で、蓮はぎゅっと両手の拳《こぶし》を握り締める。

心臓が痛い。錐《きり》で抉《えぐ》られたみたいにキリキリ痛む。

少しでも油断したら涙が出そうで、そして鏑木の前で泣くのだけは絶対に嫌で、奥歯をきつく食い締めた。

「蓮……聞き分けてくれ」

憤怒《ふんぬ》に震える蓮を切なげな眼差しで見つめ、鏑木が苦しい声を出す。

「おまえの結婚にはシウヴァの行く末がかかっているんだ。彼女は諜報部員《ちょうほうぶいん》で、今回の件は任務として請け負ってくれている。口は堅いし、後腐れもない」

「だから!?」

蓮は怒りを爆発させた。

「シウヴァのために知らない女に身を任せろっていうのかよ!?」

「……蓮」

鏑木の顔がどこかが痛むみたいに歪む。

「俺はシウヴァの操り人形じゃないっ！」

大声を出しても苛立ちは一向に収まらず、蓮は鏑木のもとへ眦《まなじり》を決して詰め寄った。すぐ前で足を止めると右手を勢いよく振り上げ、男の頬を打つ。パシッと破裂音が響いた。

「…………」

手加減なしの平手だったが、鏑木は身じろぎもしなかった。打たれた頬を庇うこともせず、直立不動で立っている。その表情は硬く厳しく、蓮の怒りの発露を受けとめるのは自分の仕事だと腹を据えているかのようだった。

「出て行け！」

鏑木を睨みつけたまま、蓮は背後の女に命じた。

鏑木が蓮の肩越しに女を見やり、黙って目配せをする。背中の後ろで衣擦れの音がして、ほどなくドレスを着たマリアがミュールを手に部屋を出て行った。

パタンとドアが閉まる。

二人になっても、蓮は鏑木を睨みつける眼光を緩めなかった。

鏑木もまた、目を逸らすことなく蓮の視線を受けとめ続ける。

どれくらいそうやって睨み合っていたのか。

ついに鏑木が根負けしたようにふっと息を吐き、「……悪かった」と言った。

「トラップを仕掛けるような真似をしてすまなかった」

謝罪を口にして、きちんと頭を下げる。

心から反省しているとわかる声に、蓮も体の力を抜いた。極限まで膨張していた怒りの風船が、ゆっくりと萎《しぼ》んでいくのがわかる。

怒りの感情と傷ついた気持ちは別物で、そっちはまだジクジク疼《うず》いてはいるけれど。

「……二度と……あんなのは嫌だ」

「すまない。二度としないと誓う」

鏑木がもう一度謝罪を繰り返した。

「おまえがマリアの誘いに乗るわけがないとわかっていたんだが……翁に命じられれば従うしかなかった」

昏《くら》い自嘲を帯びたつぶやきに、胸がちくりと痛む。

自分がパーティを拒絶したことで祖父から厳しい叱責を受け、その上理不尽な命令を下された鏑木が、人知れず苦悩したであろうことは予想がついた。

一週間連絡がなかったのは、もしかしたらこの件で葛藤していたから？

命令を下したのは祖父でも、鏑木を間接的に追い詰めたのは自分だ。

しかも今夜の報告をすれば、いよいよ以《もっ》て鏑木の立場は苦しくなる。

「また……お祖父さんから叱責を受けるのか？」

気遣わしげな声で尋ねる蓮に、鏑木は吹っ切れた表情で「いや……これでいいんだ」と言った。

「おまえの言うとおり、おまえはシウヴァの人形じゃない。誰よりも意志が強いし、感性も豊かだ。その感情をないがしろにして結婚を無理強いしたところで良い結果は生まない。おまえに好きな相手ができて、その女性と一緒になりたいと自分から言い出す日がくるのを待つべきだと、俺から翁に進言する。そう簡単には聞き入れてもらえないだろうが、繰り返し説得を試みてみる」

「……鏑木」

「焦りは禁物だ。おまえが大人になって機が熟すのを待つのが一番いいんだ」

自らに言い聞かせるような声音を耳に、蓮はなんだか胸苦しいような、もどかしいような心持ちになった。

さっきは一瞬裏切られたような気分になったけれど、この六年間、鏑木がいつも自分のことを考えてくれていたのは間違いない。

なのに自分は恩を返すどころか、結果的に彼を苦しい立場に追いやってしまっている。

(だからといって……さっきのマリアとどうこうするとか考えられない)

あんなに間近で女性の裸を見たのは初めてだった。

マリアは美人だったし、スタイルもよくて、普通の男なら興奮するところだったんだろうけど。

なぜか自分は嫌悪感のほうが先に立ってしまった。正直「怖い」って思った。

でも冷静になると、その反応はおかしい気がする。

(俺……変なのか?)

パーティで会った娘たちに興味が湧かないのは、「運命の相手じゃないから」だと思っていた。

でももしかしたら、自分のほうに問題があったんだろうか。身体的に不備があって、だから誰を見てもその気になれないんだろうか。

不安に駆られた蓮は、こんな時いつも相談に乗ってくれる鏑木に尋ねた。

「……俺……おかしいのかな?」

「なにがだ?」

鏑木が怪訝《けげん》な声を出す。

「さっきマリアの裸を見ても全然興奮しなかった」

「ああ……それはたぶんおまえがまだ……」

途中までなにかを言いかけた鏑木が唐突に口を閉ざし、まじまじと蓮の顔を見た。

「なに？」

「いや……そういえば確かめていなかったな。そっち方面の問題という可能性もなきにしもあらず、か」

ひとりごちる鏑木に、蓮は「だからなに？」と少し苛立った声で質《ただ》す。すると鏑木が改まった顔つきで訊いてきた。

「おまえ、精通はあったか？」

「せいつう……？」

鸚鵡返《おうむがえ》しにした数秒後、質問の意味を理解する。

「ああ……うん」

いわゆる「夢精」があったのは十四の時だ。翌朝ロペスが気がつき、畏《かしこ》まった面持ちでそれがなんであるかを教えてくれた。精巣に溜まった精液は折をみて、自分で処理すればいいとも教わった。

その際に、人前では決してしてはいけないと言い含められた。紳士たるもの、とりわけ淑女《レディ》の前では話題にすべき事柄ではないと。だからこの件に関しては誰ともしたことがない。学校に通っていない蓮には、性の話題を共有するような同年代の友人がそもそもいなかった。

「二年前に」

「そうか、よかった」

蓮の返答に鏑木がほっとした表情になる。

「じゃあ機能的に問題はないな。朝勃《あさだ》ちは？　定期的にマスターベーションはしてるか？」

立て続けに赤裸々な質問を繰り出され、蓮は面食らった。鏑木とは長いつきあいだけど、いままでこの手の生々しい話はしたことがなかった。

「セクハラじゃないぞ。男同士なんだから恥ずかしがる必要もない。ちゃんとしてるのか？」

真面目な顔で問い詰められて「たまに」と答える。本当は昨日したばかりだったが、そこまで報告する必要はないと思い、それには敢えて触れなかった。

「たまにってどれくらいだ？　三日に一度か？　一週間に一度か？」

なのにさらに突っ込まれて「そんなのいちいち数えてないよ」と口を尖《とが》らせる。

「処理したくなった時にするんじゃ駄目なのか？」

「まぁそれでいいんだが……俺がおまえくらいの時はそれこそ暇さえあれば抜いていたもんだがな。……最近の若者は淡泊なのか」

肩を竦めた鏑木が、気を取りなおすように言った。

「それで、マスターベーションの時のネタはなんだ？」

「ネタって？」

「たとえばだが……プレイメイトとか」

「プレイメイト？」

「俺が軍にいた頃は二段ベッドの天井はプレイメイトのヌードと相場が決まっていたが……いまならウェ

ブにそれ系の動画がごろごろ転がっているだろう?」

首をふるっと振って「知らない」と答える。

普段チェックしているニュースサイトにそんなトピックはない。

「見ないにしても、脳内で女を脱がしたり触ったり、いろいろなポーズ取らせてあれやこれやの妄想を……」

蓮に白い目で見られていることに気がついたらしく、鏑木が出し抜けに口を噤《つぐ》んだ。ばつの悪い顔でしばらく顎を指で扱《しご》いてから、おもむろに切り出してくる。

「セックスは知ってるか?」

無知を疑われたようで蓮はむっとした。

「知ってるよ。ジャングルで動物や虫の交尾を見てたし」

胸を張って答えると、鏑木が複雑な表情を浮かべて、「虫か」とつぶやく。

「……生殖行為としての交接《セックス》しか知らないってわけか」

それきり黙り込んでしまった鏑木に、蓮の中で不安が膨らんだ。

「マスターベーションの時って裸の女の妄想とかしなくちゃ駄目なのか?」

「別に駄目なことはないが、事務的に扱くのも味気ないような……」

鏑木にしてはめずらしく歯切れが悪い。

いままで蓮は、なんとなく溜まった気がしたら手で処理していた。その際に、特定の誰かを思い浮かべたことはない。食欲や排泄欲求と同じように、生理的な現象として捉《とら》えていた。

射精時に一瞬の解放感はあるが、それだけだ。むしろそのあと虚しい気分になるので、あまり好きではなかった。十代の鏑木がそんなにしていたと知って本気で驚いたくらいだ。

「女の裸に興味ないのって変？」

「変というか、普通におまえくらいの年頃なら思春期真っ盛りで異性に興味津々だろう」

「鏑木が俺くらいの頃にはそうだった？」

「まぁできたばかりの彼女とのデートに忙しくて寝不足になる程度にはな。……だが考えてみたら、おまえの場合は身近に兄弟もいなければ同年代の友人もいない特殊な環境下だ。一般のティーンエイジャーなら自然と覚えることを誰からも教わらずにきたせいで、やや晩熟《おくて》なのかもしれないな」

そうなんだろうか。じゃあやっぱり自分は普通じゃないのか。

「勉強や習い事は一流の講師を揃えたが、そっち方面は失念していた。真剣に性教育を考えるべきか。おまえに好きな娘ができた時のためにも、男として正しい性知識を身につけておくことは大切だしな」

真面目な顔で考え込まれ、蓮はちょっと焦った。

(性教育の講師って……女？)

さっきのマリアみたいなのは嫌だ。彼女が裸でのしかかってきた時、本気で嫌だった。

でももし自分が性的に未熟なのだとしたら、そこは改善しなければならないとも思う。

性教育によって女性に興味を持てるようになるならば、レッスンは受けるべきだ。

蓮だって恋ができるなら、それに越したことはないと思っている。

好きな子と結婚して祖父が望む世継ぎが生まれれば……鏑木を重圧から解き放つことができる。

それに、ちゃんとした跡継ぎができたら自分は必要なくなって、シウヴァから解放されるかもしれない。

（そうしたらジャングルに帰れるかも）

一抹の希望を抱くのと同時にふっと名案が浮かんだ。

「鏑木が教えてくれればいいんだ」

「なにをだ？」

「俺の性教育の先生になってよ」

鏑木が目を瞠《みは》った。

「おまえなにを言って……」

「俺は鏑木がいい」

我ながらナイスアイディアだと思った。鏑木なら気心が知れているし、男の体の仕組みは男のほうが詳しいはず。それになんとなく経験も豊富そうだ。

護身術を習ったようにセックスについても鏑木に教わればいい。

「教えてくれ。レクチャーして欲しい」

まっすぐな瞳で頼むと、鏑木が困惑の色をありありと顔に浮かべる。

「駄目だ」

せっかくのアイディアを却下され、蓮はムキになった。

「なんで？　なんで駄目なんだよ？」

「男にレクチャーされるなんて気持ち悪いだろう？」

「別に気持ち悪くない」

「おまえはよくわかってないからそう言うんだ」

見下した物言いにむっとする。鏑木に「上から」ものを言われるのが一番腹が立った。

圧倒的な年齢差、経験値の差はどうしたって覆せないから余計に腹が立つのだ。

「ケチ」

今度は鏑木がむっと眉根を寄せた。

「ケチだろうが駄目なものは駄目だ」

つれなく拒絶された蓮は、釈然としない気分で鏑木の腕を摑み揺さぶる。

「そんなに時間は取らせないから。基本だけ教えてくれればいい。なぁいいだろ？」

通常、鏑木は自分の「お願い」を拒まない。「仕方ないな」と言いながら、大概のことは引き受けてくれる。喧嘩《けんか》したって必ず向こうから折れてくれる。

そんな調子でこの六年間、蓮は鏑木に甘やかされ続けてきた。

なのに今回はいつになく頑《かたく》なで。

「俺、鏑木に教わりたい」

じっと灰褐色の目を見上げて懇願すると、鏑木は眉をひそめ、すっと視線を逸らす。気難しい顔でそっぽを向いた。

「お願い……鏑木」

「駄目だ」

馬鹿のひとつ覚えみたいに「駄目」を繰り返し、拒み続ける男にイラッとする。

(なんなんだよ？　こんなに頼んでいるのに！)

苛立ちがピークに達した蓮は、むしゃくしゃした気分に任せ、やおら鏑木の片足を蹴飛ばした。

向《む》こう脛《ずね》を蹴られた男が「いっ……」と声にならない声を発し、片足立ちになる。

蓮はすかさず残っている足をすくい上げた。

「……っ……」

バランスを崩した鏑木が両手で空を掻き、悪あがきも虚しくどしんと尻餅をつく。その腹の上に蓮はぴょんっと飛び乗った。

「うっ……」

全体重で腹部を圧迫された鏑木が呻《うめ》き声《ごえ》を出す。さらに蓮は両手で胸をどんっと突いた。仰向けに倒れた鏑木が後頭部をしたたか打ち、「くそっ」と悪態をつく。顔をしかめる鏑木を上から覗き込み、蓮は笑った。

「……隙だらけ」

「蓮、この悪ガキ」

鏑木が下から睨みつけてくる。

「意地を張る鏑木が悪いんだ」

「意地じゃな……」

言葉尻を奪うように鏑木の唇に唇をぎゅむっと押しつけた。手のひらが触れている硬い体が、びくっと震える。

蓮にとって、さっき見下されたお返しくらいの意味合いで、深い意図はなかった。

いつもは見上げている鏑木の上に乗って自分のほうが見下ろしているという優越感と、ちょっとした悪《いた》戯心《ずらごころ》からのキスだ。経験がないので、見よう見まねで唇を押しつけているだけ。

それでも鏑木はよほど驚いたのか、両目を大きく見開いて固まっている。

(本気で驚いてる)

固まっている様子がおかしくて、鏑木が動かないのをいいことに、触れ合っている唇をちゅうちゅう吸ってみた。鏑木はぐっと唇の両端を引き締め、息を止めている。

(なんだよ？　スルー？)

せっかく悪戯を仕掛けたのに、反応がないのはおもしろくなかった。

(なんかリアクションしろよ)

焦《じ》れた蓮は、舌を突き出し、ぺろぺろと唇を舐めてみた。尻の下の鏑木がぴくっと身じろぐ。

(あ……動いた)

くすぐったがってる？

その反応にいよいよ悪戯心を擽《くすぐ》られ、吸ったり舐めたりを繰り返す。エルバが自分に甘えて顔をべろべろと舐めるように、蓮としては鏑木にじゃれついているつもりだった。

「いい加減にしろ」と押《お》し退《の》けられるかと思ったが、鏑木は動かない。上目で窺うと、なにかを我慢しているかのように眉間にくっきり皺が寄っていた。

（意地っ張り）

そうなると、いつしか我慢比べの様相を呈してくる。

唇に唇を押しつけながら、蓮は鏑木の髪を触った。コシはあるけど思っていたよりやわらかい。次に額や頬に指先で触れた。耳の形を確かめるように辿り、厚みのある耳朶《みみたぶ》を弄《いじ》る。

なんでこんなことをしているのか、実のところ自分でもよくわかっていなかった。

ただ無性に触りたくてたまらなくなったのだ。

なぜだかわからないけれど、鏑木に触れたい気持ちが抑えられない。

鏑木の体のパーツはどこも硬くて張りがある。質のいい筋肉が過不足なくついていて、全体的に薄っぺらい自分とは全然違う。

適度な弾力と硬さが心地よく、太い首や盛り上がった肩、逞しい二の腕など、あちこち手のひらで触れているうちに、尻の下に敷いている体がだんだん熱を帯びてきた。その「熱」が伝播《でんぱ》したみたいに、蓮の全身もじわじわ熱くなってくる。

熱っぽい息が喉の奥から漏れた。蓮は押しつけていた唇を離し、鏑木の目を覗き込む。

いままでは近すぎて合わなかったが、一定の距離ができたことでお互いの焦点が合った。パチッと火花が散る錯覚に囚われる。

「……っ」

鏑木の目は、初めて見るような不思議な熱を帯びていた。灰褐色の瞳の奥に昏い炎が揺らめいているのを認め、蓮は息を呑んだ。

見慣れているはずの男を、知らない相手みたいに感じて急に怖くなる。気後《きおく》れから身を引こうとした刹那《せつな》、鏑木の手が伸びてきて、蓮の頭の後ろに回り込んだ。大きな手で後頭部をすっぽりと包み込まれる。そのまま圧力がかかり、じりじりと引き寄せられた。

(な……なに?)

いままでのお返しとばかりに反撃されて焦る。圧力に抗い、なんとか顔を離そうとしたが、鏑木の力が圧倒的に強くて抗いきれなかった。熱い息が触れ、ついに唇と唇がくっつく。

「……ンッ……」

覆い被さってきた鏑木の唇は、さっき自分が舐めていた時より断然熱かった。火傷《やけど》しそうな熱さにびっくりしていると、唇を割るようにして濡れた硬いものが押し入ってくる。しばらくは、そのぬめぬめしたものの正体がわからなかった。それが口の中で動き始めて漸く鏑木の舌だと気がつき、ぎょっと目を剝く。

(なんで舌を口の中に入れる⁉)

思いもよらない攻撃に混乱している間にもじわじわと口接が深まり、強引な舌が口腔内を縦横無尽に動き回る。逃げ惑う蓮の舌を追い詰め、獰猛《どうもう》な動物みたいに搦《から》め捕《と》った。

「んっ……ぅんっ」

口の中で舌と舌が絡まり合う。二人分の唾液が混ざる水音がくちゅくちゅと鼓膜に響く。わけがわからないままに舌をもみくちゃにされ、上顎を舌先でつつかれ、熱い塊《かたまり》に喉の奥まで押し入られて――。

飲み込みきれない唾液が唇から零れて顎を濡らした。呼吸が上手くできない。

「ふ……ぅン……」

酸欠のせいか、次第に頭がぼーっとしてきた。ぎゅっと閉じた目蓋《まぶた》の下で、黒目がじわっと濡れたのがわかる。

後頭部を摑んでいる手とは別の鏑木の手が、顎まで滴った唾液を蓮の首筋から鎖骨にかけて、擦り込むように塗りつけた。その行為になぜか背中がぞくんと震える。

（なに？　なんで背中がゾクゾク……）

やがて体の奥にぽつっと火が灯った――かと思うと、その火がたちまち全身に燃え広がった。

……熱い。体が熱い。

いまだかつて経験したことのない体温の上昇に蓮は震え、鏑木のジャケットの襟をぎゅっと握り締めた。

初めて知る体の異変におののき、なにかに取りすがらないではいられなかったのだ。

だがそうしたところで発熱は収まらない。

とりわけ下腹部が炎で炙《あぶ》られでもしたかのように熱くなっていた。

この感覚には覚えがある。

いつもはここまでじゃないけれど、溜まった時にこんな感じに……なる。

でも、昨日出したばかりでなんでこんなに？

（こんなの……おかしい）

未知の体験に混乱し、半ばパニックに陥《おちい》っていると、ふっと後頭部の圧迫が消えた。唐突に口接を解かれ、銀の糸を引いて鏑木が離れる。

一気に肺に入ってきた酸素に咽《む》せ、蓮はごほごほと咳き込んだ。

涙目ではぁはぁと胸を喘《あえ》がせる。

解放されてからも、たったいま自分の身に起きた状況とそれによる変化が理解できない。

（……なんだったんだ？）

鏑木が腹筋を使って上半身を起こしたので、自然と蓮も一緒に起き上がる形になる。向かい合った蓮の股間に鏑木が手を伸ばしてきた。兆し始めているそこをぎゅっと握られ、「アッ」と高い声が出る。

「なにす……っ」

顔を振り上げて正面からの強い眼差しに射貫《いぬ》かれた。

「いいか？　これが欲情だ。おまえはいま欲情しているんだ」

「欲……情？」

ぼんやり繰り返す。これが……欲情？

「どうしようもなく体が熱いだろう？」

鏑木の問いかけに蓮はこくりとうなずいた。

自分では制御できない「熱」を初めて知った。

「この感覚を覚えておけ」

「………」

もしかして、いつの間にかレクチャーが始まっていたんだろうか。

だったらそう言ってくれればいいのに。

いきなりでびっくりして……し過ぎて……ドキドキが止まらない。

顔の熱さと心臓の速さを意識していると、鏑木が股間から手を離した。

「このままじゃ苦しいだろうから楽にしてやる。後ろ向きになれ」

「後ろ向き？」

戸惑いつつ蓮はいったん立ち上がった。下腹部が苦しいくらいに張ってきており、一刻も早く楽になりたかったのだ。

体をくるりと反転させて訊く。

「……こう？」

「そうだ。そのまま腰を下ろせ」

指示に従い、後ろ向きで鏑木の膝の上に跨《また》がった。鏑木が腕を前に回し、後ろから抱き込むようにしてくれる。こんなふうに抱っこされるのは子供の頃以来で、なんだかくすぐったい気分になった。

落ち着かない蓮をよそに、鏑木が寝間着の下衣に手をかける。

「腰をちょっと浮かせてみろ」

言われたとおりに浮かせた瞬間、下着ごとずるっと下げられた。勃起《ぼっき》がぶるんと飛び出す。

「あっ……」

「若いだけあって勢いがいいな」

耳許の低音にカッと頬が赤くなった。とっさに手で隠そうとして「隠すなよ」と制される。

「恥ずかしがる必要はない。健全な発育を遂げている証拠だ」

「……で、だって……っ」

「ちゃんと剝けてるし細身だが形もいい。色も綺麗だ」

そんなことを言いながら、鏑木の右手が剝き出しの性器をやんわり包み込んだ。物心ついて以降、自分以外の誰かにそこを触られるのは初めてで、衝撃にふるっと腰が震える。

鏑木の手のひらは熱くて皮膚が硬かった。

「自分でやる時はいつもどうしてる？」

「どうって……」

「手で擦るだけか？」

「うん」

「なるほどな」

なにがなるほどなのかと訝っている間に手が動き始めた。

まずはフォルムを確かめるみたいに、五本の指が軸を這い回る。

人差し指と親指で括《くび》れの部分をぐるりと辿られ、かと思うと裏の筋を根元までつーっと擦り下ろされた。

予想外の指の動きによって、いままで知らなかった種類の快感が引きずり出される。

（あ……気持ちいい）

うっとり目を細めていると、いつの間にか、もう片方の手が双球を包み込んでいた。やんわりと揉みしだかれ、そこからもじわっと鈍い官能が滲《にじ》み出《で》てくる。

「………っ」

親指で先端のやわらかい部分をぐるりと円を描くように刺激されて、思わず腰が揺れた。喉の奥から変な声が漏れそうになるのをかろうじて堪《こら》える。

自分が「感じている」のを鏑木に覚られたくなかった。そんなの恥ずかしい。

息を詰めて必死に我慢していたのに、敏感な鈴口をクチクチと指で弄られ、ついに堪えきれない声が溢れてしまった。

「あっ……あっ……」

自分のものとも思えない濡れた声。

「ふ……ぁ……ぅ」

「溢れてきたぞ」

耳許の低音に誘われて下を向く。本当だった。先端の小さな孔《あな》から透明な蜜が溢れている。濡れた孔を鏑木の親指が押し潰すと、クチュッといやらしい水音が聞こえた。耳を塞ぎたいような淫靡《いんび》な音に、体中の産毛が総毛立つ。心臓がドクドク脈打って、自分が興奮しているのがわかる。鏑木の手の中のペニスが極限まで反り返り、袋もきゅうっと縮こまっていた。

鏑木が親指を離す。すると粘ついた液がねっとりと糸を引く。視覚の刺激に、またもやびくんっとペニスが震えた。

こんなに「感じている」自分は初めてだ。

自分でする時は鈍かった快感が、今日はぴりぴりと鋭角的で痛いくらいだった。

(俺……どうしちゃったんだろう)

体中が敏感になって、手や指の動きだけじゃなく、背中に感じる筋肉の硬さ、硬い体が発する熱、息づかいや体臭にまで反応している。

「すごいな。……溢れて……ぬるぬるだ」

鏑木が蓮の耳に唇をくっつけて囁《ささや》いた。

なんでそんな恥ずかしいことを口に出して言う？

腹が立ったけど、鏑木の手が濡れるほど溢れさせてしまっているのは事実なので否定できない。

「気持ちいいか？」

耳殻《じかく》に直接吹き込まれる低音に首筋がザッと粟立つ。聞き慣れているはずの声をなぜかひどく甘く感じた。鏑木の息もさっきより荒くなっている。

「蓮？　どうだ？」

「んっ……いいっ……気持ちいいっ」

もはや意地を張る余裕もなく、感じている快感を素直に口にした。

だって、自分を気持ちよくさせているのは鏑木だ。鏑木の手だ。

と、なにを思ったか、鏑木が寝間着の裾から左手を潜り込ませてくる。直《じか》に肌に触れる手のひらの熱にびくんっと腰が浮いた。

「ひぁっ……」

脇腹から胸へと鏑木の手が這い上がってきて、さわさわと肌をまさぐる。しばらくなにかを探すみたいに手のひらを滑らせていたが、ほどなく目当てのものを探し当てたかのように乳首を指で摘んだ。

なんでそんなとこ？

疑惑を抱いた直後、きゅうっと乳首を引っ張られる。

「いた……痛いって……やだっ……」

体を揺すって逃れようとして、強い力に阻まれた。

「やっ……ぃやぁ……」

嫌がっても、鏑木は乳首を捏《こ》ねたり、押し潰したり、引っ張ったりという悪辣《あくらつ》な動作を止めない。逆に嫌がるほどに指に込められる力が強くなっていく気がした。

突起をもみくちゃにされて、腫《は》れ上《あ》がった乳首がビリビリと痺れる。

「や……そこ……やっ」

「嫌じゃないだろ？　感じて硬くなってきているぞ」

感じて硬く？　なにそれ？　意味がわからない……。

鏑木がなぜ乳首なんかを弄るのかわからない。けれど執拗《しつよう》に弄られているうちにだんだんと、そのビリビリした刺激が痛みだけじゃないものに変化してきた。痛みの中になにか別の感覚が入り交じり、熱く張った下腹部がうずうず疼く。

(なんだ……これ？)

乳首の刺激に同調するように、背中がぞくぞく、ぞわぞわする。

もうこれ以上はじっとしていられず、蓮は腰を揺らめかせた。疼く場所を、硬い太股に擦りつけるように前後させる。そうしてみても、ジンジンと痺れるような疼きは収まらなかった。

じわっと黒目が潤み、ペニスの先からまたもカウパーがじゅくっと溢れる。

「鏑木っ……」

初めて知る快感を持て余し、蓮はたまらず、自分を苛《さいな》む男の名を呼んだ。

「なんか……変っ」

「達《い》きそうか？」

「わか……ない……でも熱いっ……熱くて……とけそ」

涙声で訴えた直後、チッと舌打ちが落ちる。顎を大きな手で掴まれ、ぐいっと斜め後ろに捻られた。

熱い唇がむしゃぶりつくみたいに覆い被さってくる。口の隙間にねじ込まれた獰猛な舌に、蓮も反射的に舌を絡めた。荒々しい舌の動きに無我夢中で応える。

「……んっ……ンッ……」

舌を乱暴に嬲《なぶ》られながら、左手で乳首を、右手で性器をぐちゃぐちゃに扱かれた。

カウパーがあり得ないくらいに溢れて、鏑木の手の中でニチュッ、クチュッとすごい音を立てている。

口から滴った唾液で、喉もびしょびしょだ。

口の中とペニスと乳首と三箇所を同時に責められる強烈な刺激と、聴覚による刺激との相乗効果で、腹筋がきゅうっと引き締まった。大きく開かされた太股の内側もピクピク痙攣《けいれん》している。

「……ふぅんっ……ンふ……」

鼻から甘ったるい吐息が漏れ、下腹部の「熱」の塊《かたまり》が膨れる。どんどん、どんどん大きくなる。限界が近づいてきている。

（もう……出る……っ）

唇を離された刹那《せつな》、「……出……る……ッ」と悲鳴じみた声が喉奥から押し出された。

鏑木の手の中で膨らみきった「熱」が弾ける。

「あ……あぁあ――……」

仰向けた喉から絶え入る声が溢れた。

一度イッても下腹部の熱は鎮まらず、蓮は腰を前後に揺らして、二度、三度と白濁を吐き出した。鏑木の手が、ラミネートチューブを搾《しぼ》るみたいにペニスを扱き上げる。最後の一滴まで出し切って漸く、ぐったりと力を抜く。

「……はぁ……はぁ」

頭は真っ白で、燃え尽きた感が半端ない。体中から力が抜け切ってぐにゃぐにゃだった。

「……たっぷり出たな」

そうつぶやく鏑木の声も掠《かす》れている。

「…………」

喉が嗄《か》れて声が出なかった蓮は、こくりと首を振った。

少しの間、二人とも無言で息を整える。

やがて鏑木が脱力した蓮の体をひょいと持ち上げ、自分の膝から退《ど》かせた。ラグの上に座らせ、自分は立ち上がる。「ちょっと待ってろ」と言い置き、寝室へ消えていった。パウダールームから水を使う音が聞こえ、しばらくして濡れタオルを手に鏑木が戻ってくる。

固く絞ったタオルで、鏑木は蓮の体に飛び散った精液を綺麗に拭《ぬぐ》ってくれた。

その間、余韻冷めやらぬ蓮は、ぐんにゃりと脱力した体を鏑木に任せて半ば放心していた。

「ひとまず汚れは拭《ふ》き取《と》った。もう遅いから風呂は明日の朝にしろ」

後始末を終えた鏑木が、蓮の手を引っ張って立ち上がらせる。

鏑木の支えでなんとか立ち上がった蓮は、たったいま自分に未知の快楽を植え付け、身悶《みもだ》えさせ、最終的に射精へと導いた男の顔を見た。

灰褐色の瞳の奥に、先程までの「熱」とは異なる感情が揺らめいて見える。

いままで自分が見たことのない……初めて見る鏑木だ。

思い詰めた双眸《そうぼう》で自分を熱っぽく見つめてくる男に、なにか言わなくちゃと焦った。

でもなにを言えばいいのかわからない。

レクチャーしてくれてありがとう？

まだ頭がぼんやりしていて適切な言葉が見つからない。見失った言葉を探していると、鏑木がふっと息を吐いた。

その瞬間見知らぬ男は消え――いつもの、よく知った鏑木に戻って、蓮の頭にぽんと手を載せる。

「疲れただろう？　もう眠ったほうがいい。俺もそろそろ引き揚げる」

くしゃりと髪を掻き混ぜた鏑木が「おやすみ」と囁き、寝室を出て行った。

ややあって主室のドアが閉まる音が聞こえ、カチッと施錠の音が響く。

混乱した思考と共に一人部屋に取り残された蓮は、鏑木の気配が完全に消えたあとも、長くその場から動けなかった。

VII

『あの夜』から蓮《れん》の心臓は落ち着かないままだ。

あれから二週間が過ぎたが、その間ずっと混乱し続けている。

生まれて初めて知った「欲情」と、人の手によって引き摺り出される強烈な「快感」。

どちらも年齢よりも未熟だった蓮には刺激が強すぎた。

鏑木《かぶらぎ》のレクチャーと、その技巧で乱れた自分を思い出すたびに体がざわついて、そわそわと落ち着かない心持ちになる。

事あるごとに『あの夜』の情景が脳裏に浮かび、そのたびに手が止まってぼんやりしてしまう。

フラッシュバックする生々しいシーンに一人で顔を赤らめることもしょっちゅうで、レッスンの講師やロペスに訝《いぶか》られた。

「いかがなさいましたか？　もしやお風邪でしょうか？　お熱が？」

心配そうなロペスの問いかけには首を振り「なんでもない。大丈夫」と答える。

なにがあったかなんて、口が裂けても言えなかった。

どうにかこうにか予定どおりにスケジュールをこなし、夜ベッドに入ると、日中はかろうじて頭の隅に追いやっていた記憶が存在を主張し始め、眠りにつくまで悶々《もんもん》と寝返りを打つ羽目になる。

先週のことだ。『あの夜』から一週間ぶりに鏑木が屋敷に顔を出した。

前日にロペスに知らされ、明日鏑木が来るとわかった瞬間から蓮の心臓は不規則に乱れ始め、その夜は一睡もできなかった。

どんな顔をすればいいのか。なにを話せばいいのか。

あのことは話題に出していいのか、悪いのか。

もしもレクチャーの続きがあったらどうしよう。

断るべきか、今回も受けるべきか。

思い悩んで眠れぬ夜を過ごし、めちゃくちゃ緊張して鏑木を迎えた。

顔を合わせたとたんにカーッと首筋が熱を持ち、まともに目も合わせられない蓮とは裏腹に、鏑木は拍子抜けするほどに至って「普通」だった。

『あの夜』のことには一切触れず、まるでなにごともなかったかのように、以前と寸分変わらぬ態度で接してきた。

マリアの件にも触れず、あの件を祖父にどう報告したのかの説明もなかった。

一瞬、あれはすべて夢だったんじゃないかと疑ったくらいだ。——そうじゃないことは、自分の体の変化で疑いようはなかったけれど。

あまりにもいつもどおりな鏑木に蓮は当惑し……いよいよどう対応していいかがわからなくなり、混乱した挙げ句に仏頂面でむっつりと黙り込んだ。結局、鏑木が帰るまで相槌《あいづち》を打つ以外ほとんど口をきかなかった。

鏑木も様子がおかしいと思っただろうが、それに関してもとりたてて言及はなく、主にロペスと世間話をして帰っていった。

鏑木の訪問後、緊張の反動でどっと疲労感が押し寄せ、蓮は夕食も断って早々にベッドに潜り込んだ。

（……馬鹿みたいだ）

眠れないほど意識していたのは自分だけ。

鏑木にとってアレは、すぐに忘れてしまう程度の些細なことだったのだ。

遊び半分でキスを仕掛け、あの流れに至るきっかけを作ったのは自分だ。

性教育のレクチャーをせがんだのも自分。

鏑木は——おそらく守り役としての責任感から——自分の要求に応じてくれただけに過ぎない。

たぶん「行きがかり上マスターベーションを手伝った」くらいの軽い認識しか持っていない。

実際、それ以上でもそれ以下でもないのだから、責める筋合いじゃないのもわかっている。

なのに、なぜだかものすごく理不尽な扱いを受けた気がして胸がもやもやした。

あれからさらに一週間。

鏑木へのわだかまりはいまだ胸の奥に巣くったまま。もやもやもしつこくはびこっている。

さすがに眠れないことはなくなったが、眠り自体が浅い。

二週間が過ぎたいまも、鏑木の声や体温や手の動きが記憶にこびりついて……頭から離れない。

ちょっとしたきっかけで『あの夜』のいろんなシーンが再生される。

そのたびに顔が火を噴き、「うわーっ」と叫びそうになって……。

明日はまた鏑木がここに顔を出すっていうのに。

「はぁ……」

重苦しいため息を吐き、蓮はベッドの中でごろりと寝返りを打った。天蓋《てんがい》を見上げ、もう一度深い嘆息を零す。

(会いたくない……)

鏑木と会って、自分一人がまだ『あの夜』に囚われていることを思い知らされたくない。

自分一人だけが……。

なんか惨《みじ》めだった。

鏑木はアレをなんとも思わないくらいに経験豊富な大人で。

反して自分は、あれ以来動揺しまくりの子供。

でも、この差はどうにも埋らない。十七年分の年齢差はどうすることもできない。

(だからもう忘れろ)

忘れるしかない。早く忘れて、以前の関係に戻ろう。

二週間前まで、鏑木の存在は蓮にとって側にいて当たり前の「影」のようなものだった。

鏑木が側にいると安心する。その顔を見て、声を聞くとほっとする。

なにものにも代え難い大切な精神安定剤。

それがいまは、その存在が蓮の精神《こころ》を乱す。鏑木のことを考えるだけで鼓動が不規則になる。

こんなの嫌だ。

無邪気に甘えられた、あの頃に戻りたい。

「だから……忘れろってば」

苦しい声でひとりごちる。

けれど、そうやって自分に言い聞かせれば聞かせるほど、脳裏に『あの夜』の一部始終が浮かんでくる。

――おまえはいま欲情しているんだ。

――この感覚を覚えておけ。

――すごいな。……溢れて……ぬるぬるだ。

――嫌じゃないだろ？　感じて硬くなってきているぞ。

耳殻《じかく》に直接吹き込まれた嬲《なぶ》るような低音。口の中で蠢《うごめ》く肉厚な舌。悪辣《あくらつ》で少し乱暴な手の動き。

記憶が蘇ってくるにつれてじわじわと体が熱くなり、心臓がドクンドクンと脈打つ。

気がつくと蓮の手は寝間着の下衣の中に伸びていた。

すでに半勃起《はんぼっき》だったペニスに両手の指を絡ませる。

片手は軸に、もう片方の手を根元に添えた。そうして目を瞑《つぶ》る。

鏑木の手の動きを思い出し、男の愛撫をなぞるようにペニスを扱《しご》いた。

「……んっ」

始めてしまえば、それまで胸を占めていた葛藤は片隅に追いやられる。小さな罪悪感はあれど、それもすぐに大きな快感に凌駕《りょうが》されてしまう。

『あの夜』以来、自分で慰めることが就寝前の日課のようになっていた。

前は一週間以上しなくても平気だったのが嘘のようだ。いまは毎日出さないと体がむずむずして寝つけない。

「……はっ……はっ……ふっ」

扱き続けているうちに、鈴口からぬるっと透明な先走りが溢れてきた。

鏑木がしてくれたように、そのぬめりを円を描くみたいに先端全体に塗り広げる。ヌチュッと水音が響き、その音にも煽《あお》られてどんどん息が荒くなる。

全身が火照り、首筋や胸にうっすら汗が浮いた。

もちろん、それなりに気持ちいい。事務的に処理していた頃に比べたら段違いだ。

でも……つい比べてしまう。

こんなんじゃない。

体が蕩《とろ》けそうな……あの気持ちよさには遠く及ばない。

自分の手が小さいからか、力が弱いのか、わからないけれど、体の中心からとろとろに溶《と》けてしまいそうなあの快感をどうしても再現することはできなかった。

物足りなさから無意識に左手を離し、胸に持っていく。触れなくてもすでに硬くなっていた乳首を指で摘んだ。

きゅっと引っ張る。ぴりっと痛みが走った。

でも痛みだけだ。あの時みたいな疼《うず》くような感覚はない。

(なんか……違う)

鏑木とどこが違うのかわからないけど、違う。こんなんじゃない。

この二週間、何度やってもコツが摑めなかった。

諦《あきら》めて乳首から手を離す。もう一度左手をペニスに添えた。左手の圧を強め、右手の動きを速める。

「あ……あっ……」

喉を反らした蓮は、切れ切れの喘《あえ》ぎ声《ごえ》を漏らした。

「かぶら……ぎっ」

無意識にその名を口にした刹那《せつな》、じゅんっとカウパーが溢れ、手のひらがぬるぬる滑る。

左右の手を駆使して、絶頂へのなだらかなスロープを上がっていく。

フィニッシュでは鏑木の声や息づかいを思い起こしながら、腰を強く突き出した。

どくんっと手の中の欲望が弾け、どろりとした白濁で両手が濡れる。

「……は……」

溜めていた息を吐き、はぁはぁと荒い息を整えた。涙の溜まった目蓋《まぶた》をうっすら開く。

蓮は天蓋をぼんやり見上げた。

「…………」

荒い呼吸と不規則な鼓動が落ち着いてくると、最中は吹き飛んでいた罪悪感が戻ってくる。

また……やってしまった。『あの夜』を反芻《はんすう》しながら、鏑木の名前を呼んでマスターベーションをしてしまった。

(どうしちゃったんだ……俺)

毎日毎日。それこそ猿みたいに繰り返し……。

まるで発情期の獣だ。

こんな自分は……知らない。

コントロールできない欲情なんて、いままで知らなかった。

自分がわからなくて混乱する。十六年間知っていた自分じゃないみたいで、胸がざわざわする。

ただひとつわかるのは『あの夜』から自分が変わったこと。

鏑木によって、眠っていた「欲望」を引きずり出され、変わってしまった。

制御不能のこの衝動もいつかは収まるのか。期間限定なのか。それともこの先ずっとなのか。

（わからない……）

蓮の口からは、もう何度目かわからないため息が零れ落ちた。


「ヴィクトール様」

ロペスの声に、部屋付きのバルコニーで昼食を摂《と》っていた蓮は、危うくフォークを取り落としかけた。パスタを巻き取る手を止めて顔を仰向かせると、フランス窓のガラスに鏑木の長身が映り込んでいるのが見えた。

「食事中だったか」

鏑木がバルコニーに出てきて蓮の正面の椅子を引き、同席の許可も求めずに腰を下ろす。

今日の鏑木はダークグレイのスーツにサックスブルーのシャツをインしていた。ネクタイを締めていないので、第一ボタンを外した襟元から鞣《なめ》し革《がわ》のような肌が覗いている。

身を乗り出すようにして蓮の皿を覗き込んだ鏑木が言った。

「ボロネーゼか。美味そうだ」

給仕をしていたロペスが、「もしよろしければ、ヴィクトール様のお皿もご用意いたしますが」と申し出る。

「手間を取らせて悪いな」

「いいえ、滅相もございません。料理長もきっと喜びます」

そんなやりとりののち、ロペスは料理長に追加の皿をオーダーするために席を外した。

鏑木と二人で残された気まずさに、蓮は俯《うつむ》き加減《かげん》にぼそっとつぶやく。

「……午後に来るんじゃなかったのか」

昨日はそう聞いていた。午後遅くに立ち寄るという話だった。

仕事帰りならたぶん夕方だろうから、まだ時間があると油断していたのだ。

「そのつもりだったが、近くを通りかかったんで寄ってみた。昼時でおまえも体が空いてるだろうと思ったしな」

「…………」

心の準備ができていなかった蓮は、不意打ちに狼狽《うろた》え、いたずらにボロネーゼをフォークで掻き混ぜた。

そんなふうに真正面に座られては顔も上げられない。

鏑木がどうなのかは知らないが、自分の中ではまだ『あの夜』のことは生々しいままで……。

一週間前はロペスが一緒だったからまだなんとかなった。鏑木の相手をロペスに任せ、自分は黙って二人の話を聞いていればよかったから。

だけどこの状況では逃げ場がない。

昨夜、鏑木の声や手をなぞって自慰をしてしまったばかりなのに、当人を前にして気まずいなんてもんじゃなかった。

（……馬鹿……思い出しちゃったじゃないか）

うっかり昨夜のマスターベーションを思い出してしまった蓮は、首筋がじわっと熱を持ったのを意識した。きっと顔も赤くなっている。

赤面しているのがばれそうで、ますます顔を上げられなくなった。

一方の鏑木も座ったきりなにも言わないので、気まずい沈黙が続く。

（いたたまれない）

首筋がピリピリ、尾てい骨のあたりがジンジンする。

とりあえずなにか当《あ》たり障《さわ》りのない話題……と懸命に頭を巡らせたが、焦れば焦るほど、白くなっていくばかりだった。

沈黙に耐えきれず、ちらっと上目で窺《うかが》うと、鏑木はじっとこちらを見ていた。目が合いそうになり、あわてて視線を落とした時。

「蓮」

低い声で名を呼ばれ、ドキッと心臓が跳ねた。椅子から腰が浮きそうになるのをぐっと我慢する。数秒の間を置き、カラカラの喉を開いた。

「な……なに？」

自分の声が上擦って聞こえて舌打ちしたくなる。

「二週間前の……夜の件だが」

「……っ」

衝撃に顔を振り上げ、鏑木のまっすぐな視線と視線がかち合った。ぴくんと肩が揺れる。

まともに顔を合わせるのは二週間ぶり。

『あの夜』から二週間ぶりの鏑木は、太い眉の下の灰褐色の双眸《そうぼう》も、高い鼻梁《びりょう》と肉感的な唇も以前のまま。精悍《せいかん》な面立ちはどこも変わりがない。

ただ目の前の表情《かお》はいつになく真剣で、瞳の奥にかすかに、葛藤か焦燥のようなものが透けて見える。

二週間前――『あの夜』の最後に見せた顔だ。

思い詰めたような表情の鏑木を前にして、蓮もにわかに緊張してきた。ただでさえ煩《うるさ》かった心臓がいよいよ以《もっ》て暴れ出す。

（『あの夜』の話？）

一週間前は何事もなかったみたいに素知らぬ顔でスルーしたくせに、今更なにを言うつもりなのか。

小さな苛立ちと、改まってなにを言い出すのだろうという不安が綯《な》い交《ま》ぜになった胸のざわめきを持て余しつつ、蓮はフォークをカトラリーレストに置いた。

椅子のアームに両手を置き、やや強張った顔で言葉の続きを待つ。

しばらくの間、なにから話そうかと思案に暮れるような面差しを浮かべていた鏑木が、おもむろに口を開いた。

「おまえが俺の目を見ないのは『あの夜』のせいだろう？」

いきなり核心を突《つ》かれ、小さく息を呑む。

虚を衝かれた蓮の前で、鏑木が表情を改めた。

「マリアの一件の流れとはいえ、あれについては行きすぎた行為だったと反省している」

神妙な声音で謝罪された蓮は、とっさにどうリアクションを取っていいかわからず、困惑のままに唇を嚙み締めた。

「…………」

「正直なことを言えば途中から記憶が曖昧《あいまい》なんだ。年甲斐《としがい》もなく頭に血が上って、気がついたら本来のルートを脱線して……あそこまでエスカレートしていた。おまえはまだ若い。一度走り出したら止まらないのはよくわかる。だからこそ、あの場では俺がブレーキをかけるべきだった」

反省の弁を述べる苦い声を耳に、熱を孕《はら》んで高鳴っていた心臓が急激に冷えていくのを感じた。

（……そうじゃない）

なかったことのようにスルーされるのは腹が立ったし、なにか言って欲しかったけど、自分が欲しかったのはこんな言葉じゃなかった。

「もっと早くに話すべきだったが、柄にもなくあれこれと考え込んで……気持ちを整理するのに時間がかかってしまった。その間きっと悩ませただろう。すまなかった」

　鏑木が頭を下げる。

　やめろと叫びそうになった。

　謝って欲しくなかった。

　あの夜のことを間違いだったと否定して欲しくなかった。

　後悔しているみたいな顔をして欲しくなかった。

　そんなふうに謝られたって元の自分には還《かえ》れない。

　なにもなかった頃には……なにも知らなかった頃には戻れない。

（昔みたいには……もう）

　蓮は、ゆっくりと顔を上げた鏑木を睨みつけた。

「謝るな」

「蓮――」

「謝られても元には戻らない」

　低い声を落とすと、鏑木が辛そうに顔を歪める。

「本当にすまない」

「だから謝るなって！」

　声を荒らげ、ガッと椅子を引いた。立ち上がって膝の上のナプキンをテーブルに投げつける。

その場を離れるために鏑木の横を擦り抜けようとして腕を掴まれた。

「蓮、待て」

「放せよっ」

振《ふ》り解《ほど》こうとしたが、鏑木の力は強く、果たせない。抗っているうちに鏑木が立ち上がり、もう片方の腕も掴まれた。強引に体を向き合わさせられてしまう。

「まだ続きがあるんだ。聞いてくれ」

鏑木が真顔で懇願してきた。

「やだっ」

聞きたくなかった。これ以上聞きたくない。『あの夜』のことをなかったことにされたくない。

あれは……自分にとってすごく大切な——

「蓮、頼むから……」

「謝ったくらいで済むわけないだろ！」

大きな声で叫ぶ。

鏑木の言葉を遮るためだったが、一度堰《せき》を切ってしまうと感情の奔流を止められなくなった。

「俺はずっと……あれからずっと悩んで……眠れなくてっ」

「蓮……」

「おまえのことばっかり考えて昨日だって自分で……っ」

激情に任せて発しかけた言葉を途中で呑み込む。血の気が引き、体中の毛穴からどっと嫌な汗が滲んだ。

（……俺はなにを……）

言おうとしてるんだ。馬鹿！

自分で自分を詰《なじ》っていると、言葉尻を捉《とら》えた鏑木が「昨日も？」と繰り返した。

「俺のことを考えて？　どうしたんだ？」

追及してくる鏑木の顔が、心なしか熱を孕《はら》んでいるように見えて戸惑う。

まるで『あの夜』の鏑木みたいだ。

「蓮、答えろ」

言えるわけがない。鏑木のことを思ってマスターベーションしていたなんて言えない。

そんなこと言ったらすべてが終わる。本気で取り返しがつかなくなる。

「…………」

蓮はぐっと口許を引き締め、顔をぷいと背けた。すると鏑木が蓮の顎《あご》を摑み、ぐいっと戻す。カッとなってその手をパンッと払《はら》い除《の》けた。払った蓮の手を鏑木が摑む。

「放せっ」

だが、鏑木も意地になっているかのように蓮の手を放さない。

「放せよっ」

二人でもみ合っている最中、鏑木の胸元からバイブ音が響いた。

ブブブブッ。

「携帯。鳴ってる」

蓮の指摘に、しかし鏑木は動かない。

ブブブブッ。

「出ろよ。仕事の電話なんじゃないの？」

眉根を寄せて小さく舌打ちした男が、やっと蓮の手を離してジャケットの内ポケットに入れた。スマートフォンを引き出して耳に当てる。

「俺だ……どうした？」

（いまのうちだ）

この隙に逃げようと、蓮はそっと後ずさった。鏑木が電話に集中しているのを確認して、くるりと踵《きびす》を返す。退却の一歩を踏み出したところで「なんだって⁉」という緊迫した声が聞こえた。

ただならぬ気配に思わず振り返る。

視界に飛び込んできた鏑木の表情は、いままで見たどの顔とも違った。大きな衝撃を受けているのがひと目でわかる顔。

「……それで翁《おう》は⁉」

続けて鏑木が発した深刻な声音で、祖父の身に何事か重大な異変が起こったのを覚《し》る。

（……お祖父《じい》さん？）

背筋がひやっとし、全身にぴりっと緊張が走った。

固唾《かたず》を呑んで彫りの深い貌《かお》を見つめる。見る間に鏑木の表情が険しさを増していき、それによって蓮は事の深刻さを感じ取った。

「わかった。すぐに向かう」

通話を切った鏑木に勢い込んで詰め寄る。

「お祖父さんがどうかした？」

眉間《みけん》に皺《しわ》を刻んだ険しい顔で蓮を見た鏑木が、低く答えた。

「出先で何者かの銃撃に倒れ、病院に運ばれたそうだ」


一報を受けた直後はさすがの鏑木も動揺を隠せない様子だったが、わずかな時間で冷静さを取り戻し、それからの行動は迅速だった。

その場でシウヴァの幹部に召集をかけると、本社に緊急対策本部を立ち上げた。直属の部下数名に電話をかけ、現時点で集められるだけの情報を掻き集めるよう指示を出す。

部屋で待機していた蓮は、三十分後に迎えに来た鏑木に、祖父が緊急搬送された病院へ向かうための移動手段として、リムジンではなくヘリコプターを使うことになったと聞かされた。

ヘリコプターを選択したのは、祖父が車で襲われたのを鑑《かんが》みてのことらしい。祖父を襲った襲撃犯たちは現場から逃走し、現時点ではまだ捕まっていない。彼らが次に蓮を襲う可能性もゼロとは言えない——というのが陸路を回避した理由のようだ。

こうして一報から一時間後には、蓮は鏑木とヘリポートから飛び立っていた。

いま蓮の傍《かたわ》らに座る鏑木は、普段と声のトーンも顔つきも変わらない。もしかしたら衝撃を引き摺っているのかもしれないが、少なくとも表だって内心の動揺を垣間見《かいまみ》せることはなかった。

片や蓮は、時を追って募ってくる焦燥を紛らわそうと、後部座席で小刻みに体を動かしていた。ここで自分がじたばたしたところでどうにもならないことはわかっていたが、だからといって鏑木のように平静を装うことはできない。

いまこうしている瞬間にも、祖父の命が潰《つい》えるかもしれないのだ。

鏑木の説明によると、祖父は午前九時から、エストラニオ大統領公邸にて開催された首脳会議に出席していた。首脳会議終了後、次の目的地に向かう移動中に襲撃犯に襲われたらしい。

祖父の移動車は特別仕様のリムジンで、襲撃に備えてボディを強化し、窓にも防弾ガラスが使用されていた。

だが、襲撃犯は自分たちの車両をリムジンにぶつけ、運転手に深手を負わせて停止させるという大胆な手口を用いた。

その後、ボディガード二名を銃撃戦の末に死亡させ、残り一名にも命にかかわる重傷を負わせた。後部座席のドアをこじ開けた襲撃犯の発砲により、祖父も胸部に二発被弾したが、救出された際にはまだ息があった。現在は弾丸摘出手術を受けている。

致命傷を負いながら、からくも一命を取り留めたボディガードの話によれば、襲撃犯は四名。黒尽くめでマスクを被っており、顔かたちは不明。人種、年齢、性別などもわからなかったが、射撃の腕前や規律のある動き、鮮やかな撤退の仕方から推測して、なんらかの特殊訓練を受けた者たちと考えられる。

「夜道や山道などに比べてガードが緩む日中の街中で襲撃したことを考え合わせても、プロであるのは間違いないだろう。それも一流のプロだ」

苦渋を押し殺したような鏑木の声音を思い起こす。

「プロって……プロの殺し屋？」

「ああ……元軍人かもしれないし、マフィアかもしれない。いずれにせよ、金で雇われて殺人を請け負う犯罪のプロ集団だ。現在、逃走した襲撃犯を捕獲すべく警察が捜査網を張り巡らせているが、網にかかる可能性は……残念ながら低いだろうな」

わざわざプロを雇ってまで祖父の命を奪ってどんなメリットがあるというのか。

蓮には理解できないが、鏑木に言わせると、「それだけシウヴァの力が強大だということだ」ということらしい。

六年前に叔父のニコラスが事故死しているが、その原因もはっきりしないままで、いまだに暗殺説が根強く囁《ささや》かれている。

確かに、シウヴァはエストラニオの経済や国の運営に大きな影響力を持っている。

それを邪魔に思う者もいるのかもしれない。

シウヴァのトップを亡き者にすることで、自分は利益を得る者が……。

(だからって……命まで奪うことはないじゃないか)

ぎゅっと両膝を握り締める蓮に、鏑木が「大丈夫か」と気遣わしげな声をかけてくる。

「……大丈夫」

「翁は気丈な方だ。きっと手術にも耐えて回復されるよ」

そう言いながら蓮の肩に腕を回し、励ますように強く抱いた。

鏑木だって心中穏やかなはずないのに。

「そろそろ着くぞ」

鏑木のつぶやきを受け、蓮は窓の外へと視線を向けた。眼下に首都ハヴィーナの中心部が広がっている。中でもシンボリックな建物のひとつ、シウヴァが運営する病院の屋上ヘリポートを目指し、ヘリコプターが降下し始めた。


「翁の様子はどうだ？」

ヘリポートで待っていた祖父の第一秘書に鏑木が問いかける。

「まだ手術中です」

強ばった顔つきで眼鏡の秘書が答えた。

ヘリポートからエレベーターで建物の二階まで下り、彼の案内で特別病棟へ移動する。

この特別病棟は一般病棟とは隔離されたＶＩＰ専用の棟だ。許可証がなくては出入りできず、セキュリティも万全で、内装も高級ホテルかと見紛う豪華さだった。

だがいまの蓮には凝ったインテリアに目をくれる余裕がない。気の焦りから、鏑木と秘書の前をカツカッと歩き、シュッと左右に分かれた自動扉を通過した。

待合室の中に踏み込んだとたんに少女の声が響く。

「レンお兄ちゃま！」

長椅子からぴょんっと少女が立ち上がった。

「アナ！」

先に病院に到着していた従妹《いとこ》に蓮も駆け寄る。

「いつ着いたんだ？」

「さっき」

アナ・クララと母親のソフィアは出先で祖父襲撃の報を受け、急ぎ病院に駆けつけたようだ。

「……おじいちゃま、お怪我《けが》をしたの？」

事情がよくわかっていないらしいアナ・クララが心配そうに蓮に訊く。

「ああ……うん、怪我をしたんだ。いま手術して怪我を治しているところだよ」

「そう……。手術って痛いんでしょう？　おじいちゃま、かわいそう」

痛ましげな表情をするアナ・クララの後ろで、ソフィアが長椅子から立ち上がった。いまにも泣き出しそうな青ざめた顔でつぶやく。

「こんな大変なことになって……私、どうしたらいいのかしら」

おそらくその脳裏には夫が亡くなった時のことが蘇っているのだろう。状況的にオーバーラップしてしまっても仕方がない。

それを察したらしい鏑木がソフィアに歩み寄り、手を握った。

「ソフィア、気を確かに持つんだ。翁はいま闘っている。俺たちが弱音を吐いている場合じゃない」

「……そうね……ごめんなさい」

叱咤激励に、ソフィアが悄然《しょうぜん》と俯く。

その時、先程蓮たちが入室したのとは反対側の自動扉が開き、術衣を着た執刀医が姿を現した。

「先生！」

アナ・クララ以外の全員が一斉に動き、執刀医を取り囲む。

「手術は？」

鏑木の緊迫した声の問いかけに、執刀医がマスクを外して「終わりました」と答えた。

「手術自体は成功し、シウヴァ氏は集中治療室に入られています。あとはご本人の体力次第ということになりますが、なにぶん高齢ですし……今夜が山場とお考えください」

（今夜が……山場）

手術の成功に安堵する暇もなく、皆の顔に緊張が走る。鏑木が執刀医に問いを重ねた。

「我々が集中治療室に入ることはできますか？」

「もうしばらくしたら、ご家族に限り入室していただくのは構いません。ただしご本人の意識はありませんが」

意識がない——その言葉を反芻しながら重苦しい気分が込み上げてくる。

（もしかしたら……このままってことも……？）

出会ってからずっと祖父のことが苦手だった。

やさしい言葉ひとつかけられたことがない。微笑みかけられたこともない。

肉親の情をかけられたことはただの一度もない。

逆に疎《うと》まれているのは、この六年間で嫌というほど思い知らされた。

十六になってからは、顔を合わせれば「妻を娶《めと》れ。世継ぎを作れ。それがおまえの義務であり唯一の『仕事』だ」と言われ続けた。

まるで、それ以外に存在意義がないように……。

それでも……祖父がこの世からいなくなってしまうかもしれないと思えば、にわかに心許ない気持ちになる。鳩尾《みぞおち》のあたりがぎゅっと重苦しく縮んだ。

「準備が整いましたら、看護師が迎えにあがりますので」

「先生、ありがとうございました」

鏑木と秘書が頭を下げ、目礼で応じた執刀医が立ち去った。

呆然と立ち尽くす蓮に、鏑木が「とりあえず座ろう」と声をかけてくる。その促しに従い、近くの肘掛け椅子に腰を下ろした。ローテーブルを挟んで正面の椅子に鏑木も座る。

アナ・クララはソフィアと一緒に長椅子に座った。秘書は落ち着かない様子で壁際を行ったり来たりしている。

誰もが無言だった。

幼いアナ・クララでさえ、ただならぬ空気に気圧《けお》されたように口許を引き結び、母親にしがみついている。

壁に掛けられた時計の音だけが重苦しい静寂に響いていた。

祖父の意識は回復せず、その日は病院泊となった。

同じフロアに付き添いのための宿泊施設があり、ベッドや浴室も完備されている。

十時過ぎにはアナ・クララが眠たそうな様子を見せたので、

「なにかあったら起こすから、先に休んでいて」

とソフィアに声をかけ、母と娘を宿泊用の部屋に行かせた。

残った蓮と鏑木、そして秘書の三人で今夜は寝ずの番をする。

シウヴァの関係者も大勢病院に詰めかけているが、彼らは別のフロアの待合室で待機していた。警察を含む関係者各位に厳重な箝口令《かんこうれい》を敷いた結果、いまのところマスコミに嗅《か》ぎつけられてはおらず、記者やテレビクルーが押しかけるような騒ぎにはなっていないようだ。

いずれは公になるにせよ、峠《とうげ》である今夜ばかりは家族だけで静かに過ごしたい。

ロペスからも何度か電話連絡があり、その都度鏑木が状況を知らせていた。

今夜は『パラチオ　デ　シウヴァ』の使用人たちも、安息とは程遠い一夜を過ごすことになるだろう。

「蓮、少し寝たらどうだ？　状況が変わったら起こすから」

深夜二時を過ぎた時点で鏑木がそう言ってくれたが、蓮は首を左右に振った。仮に横になったとしても、とてもじゃないが眠れそうにない。秘書が軽食を用意してくれたが、それにも口をつけなかった。鏑木の肩に寄りかかるようにして長椅子で膝を抱える。

心許ない気分のこんな時、隣の男の存在が心強かった。

同じ孫という立場でも、不安を分かち合うにはアナ・クララはまだ幼すぎる。鏑木は血縁でこそないが、自分よりずっと祖父に近く、忠誠心も強いはずだ。その鏑木は表面上、至って冷静に事に当たっている。病院に来てからも、心の内はどうあれ、物憂げな様子を微塵《みじん》も見せなかった。

心理的なショックが大きいソフィアを励まし、蓮をさりげなく支え、折に触れて部下たちに的確な指示を出し——シウヴァ最大の危機に落ち着いて対応していた。

鏑木という精神的支柱の存在によって、かろうじて皆がパニックになるのを回避できていると感じる。でも鏑木だって心の中では、祖父の容態について相当気を揉んでいるはずだ。

もしかしたら……自分が側にいない時に祖父が襲撃されたことで、おのれを責めてもいるかもしれない。その可能性に思い当たった蓮は、数秒躊躇《ためら》ったあとで、思い切って鏑木の手に自分の手を重ねた。ぴくっと鏑木が反応し、こちらを振り向く。

わずかに見開かれた灰褐色の双眸を見上げ、蓮は鏑木の手をきゅっと握った。

「……蓮？」

不思議そうな声で自分の名をつぶやく男を、じっと見つめる。

気持ちは一緒だと伝えたかった。

鏑木が側にいてくれることで、自分は救われている。

だから自分も鏑木に返したい。

自分の存在が、ほんの少しでも鏑木の支えになれるといい。

「…………」

見開いていた目をじわりと細めた鏑木が、わずかに目許を和らげて「ありがとう」と囁いた。

（……伝わった？）

このところずっと鏑木とぎくしゃくしていたから、思いを酌《く》んでもらえたのはうれしかった。ひさしぶりに年上の友人と心が通じ合うのを感じる。

もう一度大きな手をぎゅっと握った時、自動扉がシュッと開き、白衣の担当医師が入ってきた。彼も今夜は徹夜で、自分が執刀した患者の山場を見守っているのだ。

「セニョール・シウヴァの意識が戻りました」

医師の言葉に、蓮は飛び上がるように長椅子から立ち上がった。鏑木も腰を浮かせ、秘書も肘掛け椅子からあわてて立ち上がる。

「話をするのは難しいかもしれませんが、面会なさいますか？」

医師が蓮に尋ねてきた。

話ができなくてもこっちの声は聞こえるかもしれない。

「はい、お願いします」

「わかりました。……できればご家族の方のみで」

秘書が「私はお待ちしております」と腰を下ろす。蓮は鏑木を振り返って、「おまえは家族も同然だから一緒に来てくれ」と頼んだ。

「わかった」

鏑木がうなずく。

「アナとソフィアはどうしようか。起こしたほうがいいかな？」

「いや……ぐっすり眠っているアナを起こすのは時間がかかる。とりあえずは俺たちで様子を見て、状況によっては二人を起こそう」

話し合いの末にそう結論を出し、二人で医師の後ろに付き従って集中治療室へと向かった。

手術のあとにも一度集中治療室に入ったが、祖父の意識がなかったのですぐ出てきた。その時と同じく、真っ白な部屋の中央に、透明のビニールシールドで覆われた祖父のベッドがぽつんと置かれている。ベッドの周りを医療機器がぐるりと取り囲んでおり、機器から伸びたたくさんのチューブが祖父の体に繋《つな》がっていた。生体情報モニタからは、ピッ、ピッ、ピッ、ピッ、とバイタルサインが聞こえている。

先にビニールを捲《めく》ってシールドの中に入った医師が、祖父を覗き込んで「セニョール・シウヴァ、お孫さんがいらっしゃいましたよ」と声をかけた。その後、蓮を振り返って「どうぞお入りください」と招く。

退《しりぞ》いた医師と入れ違いに、蓮は祖父の枕元に立った。酸素マスクをつけた祖父は、薄く目を開いていた。ただその目は焦点が合わず、どんより濁っている。死線を彷徨《さまよ》う祖父の顔は頭蓋骨《ずがいこつ》の形がわかるほどにげっそりと窶《やつ》れ、眼窩《がんか》は深く落《お》ち窪《くぼ》んでいた。

顔色も土気色で、周囲を威圧するオーラは跡形もなく消え失せ、どこにでもいるただの老人に見える。

（……お祖父さん？）

目の前のしなびた老人が、あの怖い祖父だとすぐには信じられなかった。

その身から迸《ほとばし》る人並み外れたオーラが、もともと小柄な祖父を実物以上に大きく見せていたのだと、萎《しぼ》んでしまった祖父を見て思い知る。

衝撃に立《た》ち竦《すく》む蓮に、背後に立つ鏑木が「声をかけてやれ」と耳打ちしてきた。背中を押された蓮は、その場にしゃがんで床に片膝を突く。

「……お祖父さん……蓮です。わかりますか？」

おずおずと話しかけると、細かい皺が無数に刻まれた目蓋がぴくっと震えた。水晶体の濁った黒目がなにかを探すようにのろのろと動く。

蓮は思わず、点滴の管の繋がった手を摑んで握り締めた。初めて触れたその皺深い手は、想像していたよりずっとあたたかかった。

「お祖父さん、蓮です」

さっきと同じ言葉を繰り返す。

血の繋がった祖父が生死の狭間を彷徨っているというのに、まともに励ますこともできない自分が情けなかった。六年も一緒に暮らしたのに、祖父との間には語るような思い出がひとつもない。

もどかしい気持ちで、もう一度ぎゅっと皺深い手を握り締めると、不意に祖父の目に生気が戻った。

蓮をはっきりと見つめ、くぐもった声で「……レ……ン」と囁く。

「お祖父さん！」

祖父が酸素マスクを疎ましがるそぶりを見せたので、医師の承諾を得て下にずらした。そうしてから、口を動かす祖父に顔を近づけ、か細い声に耳を澄ます。

「レ…ン……おまえ……には……シウヴァの…光と…陰を……背負わせて…しまう……」

最後の力を振り絞るように、祖父が切れ切れの声を発した。

「許し……くれ」

いま……許してくれと言った？

あの冷徹な祖父とも思えない言葉がとっさに信じられず、口許に耳を寄せた。

「許して…くれ……」

聞き間違いじゃない。本当にそう言っている！

蓮は祖父の右手を両手で包み込むようにして握り込んだ。

「そんな弱気なこと言わないでよ。まだまだお祖父さんには元気でいてもらわなきゃみんな困る。俺だって……困る。……もっともっと……話とかしたいし……いろんな話聞きたいし」

祖父に訴えかけながら、熱いものが込み上げてくる。鼻の奥につーんと痛みが走り、眼球が熱く潤んだ。

なんでもっと早くちゃんと話をしなかったんだろう。

疎まれることが怖くて、「おまえは要《い》らない子供だ」と言われるのが怖くて、逃げてばかりいた。

……臆病だった。

怖がらずにもっとがむしゃらにぶつかればよかった。

何度拒まれても諦めずに本当の気持ちを伝えればよかった。

こうなってから後悔しても……遅いのに。

視界の中の祖父の顔が、侵食した水分でじわじわと歪んでいく。喉が引《ひ》き攣《つ》ったみたいに苦しくなって、細かく痙攣《けいれん》した。

喉許の嗚咽《おえつ》を必死に堪えていると、祖父が「ヴィク……トール」と鏑木を呼んだ。

「お祖父さんが呼んでる」

わななく唇でつぶやき、斜め後ろに立つ鏑木のジャケットを引っ張る。険しい表情の鏑木が蓮の隣に跪《ひざまず》き、静かに「翁、お呼びですか」と話しかけた。

「ヴィク……」

「ここにおります」

鏑木が祖父の左手を握る。祖父が苦しい息に紛れて掠《かす》れた声を絞り出した。

「レンを……頼む」

「お任せください。私の命ある限り、蓮様を護ります。全力で支えます」

力強い言葉に、祖父がわずかに表情を和らげる。

「ヴィク……ゆび、わ」

鏑木が「はっ」と応じ、祖父の左手の中指に嵌《はま》っていた指輪に手をかけた。節ばった指から大きなエメラルドの指輪を抜き取り、蓮に手渡す。蓮は手のひらの上の、金の台座にシウヴァの家紋であるモルフォ蝶《ちょう》が象《かたど》られた指輪を見つめた。

「これ……なに？」

「代々シウヴァの当主に託される指輪だ。当主の証《あかし》でもある」

祖父がいつもその指輪を嵌《は》めているのは知っていたが、そういう意味を持つとは知らなかった。

——当主の……証？

「指に嵌めて翁に見せてやってくれ」

鏑木の要請に応えて左手の中指に嵌めてみる。蓮には少しサイズがゆるかったけれど、指輪を嵌めた左手を祖父の顔の前に翳《かざ》した。

「お祖父さん見える？　指輪を嵌めているのが見える？」

食い入るように指輪を見つめていた祖父の目に、みるみる涙の膜が盛り上がり、目尻の皺を伝ってつーっと流れ落ちる。

「お祖父さん……」

祖父が泣くところを見るのはもちろん初めてで、衝撃のあまりに続く言葉が出てこなかった。

「翁、見えますか？　指輪は蓮様が受け継ぎました。蓮様はたったいまシウヴァの当主となられました。今後は私たち側近一同が全力で蓮様を支えます。どうかご安心ください」

鏑木の真剣な声を聞いてはっと我に返る。絶句している場合じゃない。

「お祖父さん！　シウヴァのことは心配しないで！」

蓮も声を張った。

「俺がシウヴァを受け継ぐ。シウヴァを護るよ！」

祖父に届くようにと祈りながら誓いの言葉を口にする。

「アナのことも俺が護るから！」

祖父がゆっくりと、本当に少しずつ目を閉じた。

涙の跡がついたその顔は、いつになく安らかで、いままで見た中で一番穏やかに見えて——。

「お祖父さん？　聞こえる？　おじ……」

ピ————！

生体情報モニタが断末魔のようなアラームを鳴らし、ぷつりと途切れる。一瞬の沈黙ののち、周囲が俄然騒がしくなった。バタバタと看護師が走り回る足音。誰かが指示を飛ばす鋭い声。

慌ただしい空気の中、蓮はなにが起こったのかわからずに、ただ呆然と祖父の顔を見つめていた。

「失礼」

医師に押し退けられ、ふらふらとふらつく体を鏑木に抱き留められた。祖父の上に屈《かが》み込《こ》んだ医師が、手早く瞳孔《どうこう》を調べ、首筋に触れ、手首の脈を取る。脈を測りながら首を緩慢に振った。

そうして蓮と鏑木を振り返り、重々しい声で告げる。

「ご臨終です」

VIII

その日、エストラニオの国民の大半は誰に強要されることもなく黒い服を身につけ、シウヴァの当主への深い哀悼《あいとう》の意を表した。

それほどまでにグスタヴォ・シウヴァの存在はこの国にとって大きく、国すら動かす強大な権力を持つ彼のことを知らない者はいなかった。

グスタヴォはシウヴァが運営する慈善事業団体のトップを務めていたので、サン・ドミンゴ教会の鐘が鳴り響いた時には、皆が仕事や作業の手を止めて黙禱《もくとう》を捧げた。

カーン、カーン、カーン……。

重々しい鐘の音を聞く彼らの脳裏に、六年前の悲劇が蘇る。

あの時もやはり同じように、ニコラスの死を悼《いた》む鎮魂の鐘が市街地に鳴り響いた。

悲劇は繰り返される。

六年の月日を経て、今度はその父親が非業の死を遂げた。

遡《さかのぼ》ること十七年前には、社交界の華と謳《うた》われたグスタヴォの愛娘が出奔した。彼女と、その駆け落ちの相手はどうやら逃亡先で亡くなったらしい。

まだ赤ん坊だった一人息子を遺《のこ》して……。

その日一日、市民たちは寄ると触ると口を顰《ひそ》め、ひそひそと囁《ささや》き合《あ》った。

やはり呪われているとしか思えない。

あの一族に生まれた者はまともな死に方ができないのだ。

シウヴァは呪われた一族だ——と。


大方の予想どおり、グスタヴォ・シウヴァを襲撃した犯行グループは捕まらなかった。

犯行声明もなく、彼らが単独犯だったのか、バックに黒幕の存在があるのか、そもそもの襲撃の目的すらわからないままに、葬儀が執り行われることとなった。

葬儀は国葬扱いで、大統領を筆頭に国を代表する政治家や軍部の幹部、財界の大物、著名人がこぞって参列し、没してなおグスタヴォの存在の大きさを周囲に知らしめた。

グスタヴォは国を動かすほどの力を持っていた。

彼の意向や決断は、エストラニオの政治に多大な影響を与えた。

また、グスタヴォがトップを務めるシウヴァ財閥の業績如何《ぎょうせきいかん》によってエストラニオ経済も変動した。

エストラニオ国民の一割がシウヴァ・ホールディングス傘下の企業に雇用されており、その下請けや関連企業にまで枠を広げれば、三割近くがなんらかの形でシウヴァにかかわっていることになる。

無論、人はいつか死ぬ。死ばかりは誰にも平等に訪れる。

だがこんな形での不慮の死――というのは誰にとっても予想外の出来事だった。

グスタヴォには国内トップクラスの医療チームが付いており、その健康状態を万全の体制で見守っていた。襲撃がなければ、少なくともあと五年は生きたはずだ。

想定外のグスタヴォの横死により、唯一の直系男子である孫の蓮《れん》がシウヴァ家当主の座を継ぐこととなった。

当主の座に就《つ》くということは、同時にシウヴァ財閥のトップとなることを意味する。

しかしながらこれは誰の目にも時期尚早だった。

数カ国の語学とカレッジレベルの学問をクリアし、帝王学を学んだとはいえ、まだ十六歳の子供だ。しかも幼少時はジャングルで育ったという特異な経歴を持ち、十歳からは隔離された屋敷の中で暮らして世間を知らない。

　仮に船頭の素養があったとしても、カノアしか乗ったことがないのにいきなり大型船の舵《かじ》を取れ、というのは無理がある。

　他に候補者がいない以上、蓮が跡継ぎであるのは周知の事実であったし、グスタヴォが七十を過ぎた頃から、蓮が成人を迎える十八歳の誕生日に家督を譲るのではないかと囁かれてもいた。

　そうは言ってもグスタヴォのことだ。当主の座を譲ったのちも後見人として、蓮が一人前になるまで目を光らせるに違いない。

　グスタヴォが後ろ盾でいてくれる間にトップとしての経験と実績を積み、数年をかけてゆっくりと事実上の世代交代を成し遂げればいい。誰もがそう思っていた。

しかしその青写真は、グスタヴォの非業の死によりあえなく潰《つい》えた。

グスタヴォという大きな支柱を失ったシウヴァ上層部の動揺は激しかった。

果たして、この先シウヴァはどうなるのか。

国をも揺るがす強大な権力の重みに若き当主は耐えうるのか。

誰しもの胸に去来する嵐の予感。

だが航路に迂回ルートはない。

十六歳の少年を船頭に据えたシウヴァ号は、暗雲垂れ込める大海原に漕ぎ出すしかなかった。


祖父の死からひと月余りの間、多忙を極めた蓮には悲しみに暮れる暇もなかった。

一番目の山は、準備を含めると三日に及んだ大がかりな葬儀。

それが終わって埋葬が済むと、今度は葬儀に参列できなかった人々の弔問が始まった。遠く海外からも訪れる弔問客を迎え入れ、故人を偲《しの》ぶ彼らの話を聞く。

これが途切れることなく一週間以上続いた。

弔問客の波が一区切りついたとたんに、今度は新たにシウヴァの当主となった蓮に面談を請う客が続々と現れ、列を成《な》した。

彼らは政治家であったり、軍の幹部であったり、財団のトップであったり、企業の経営者であったり、銀行の上層部であったり、投資家であったりしたが、誰もが蓮の親の世代で、中には祖父の年代の人もいた。そしてその顔には一様に、「こんな子供で大丈夫なのか」といった隠しようのない不安と疑心が滲《にじ》み出《で》ていた。

そんなことは人に言われるまでもなく、蓮自身が一番わかっている。

祖父が亡くなってからの日々、蓮が痛感したのはその偉大さだった。

弔問に訪れた誰もが突然の死を心から嘆き、「得難い人を亡くした」と、祖父を失った損失に打ちひしがれていた。

旧知の仲であった人たちからは、生前の祖父がいかに優れた経営者であったか、強靭《きょうじん》な精神力の持ち主であったかを様々なエピソードを交えて聞かされた。

自分の前では「厳格で冷徹な老人」であった祖父だが、意外にもフィランソロピーに熱心な篤志家の一面も持っていたようだ。シウヴァが運営する慈善事業団体の多くを、祖父が立ち上げたことを蓮はその死後に知った。

また、人に厳しい分、おのれにも厳しい人であったらしい。

どのような苦しい局面においても冷静な判断をした。

時に非情とも思える決断を下す勇気を持っていた。

常に困難に立ち向かう闘争心を持ち続け、最後まで闘い抜いた。

誰もが口を揃えて、祖父の鋼の精神力を讃《たた》えた。

それ故に、敵が多かったのもまた事実ではあるが……。

生前の祖父の偉業を知れば知るほど、自分にその跡を継げる度量があるのか、不安になる。

会う人会う人、全員に期待と疑心の入り交じった眼差しを向けられ、日を追ってプレッシャーが澱《おり》のように積もっていく。

もともとが社交的な性格でないのに加えて、相手がシウヴァのトップに相応《ふさわ》しい器かどうかを見極めようとしているのがわかるので、一瞬も気が抜けず、余計に疲れる。

もしも蓮のトップとしての資質に疑問符がついてしまったら、まずは投資家が手を引くだろう。するとシウヴァ・ホールディングスの株が売られ、時価総額が減る。

一時的に株価が下がったくらいでシウヴァがぐらつくことはないが、ただでさえ祖父の死で先行きが不安視されているところに隙を見せてもプラスはひとつもない。

シウヴァとかかわりがあるからといって誰もが味方とは限らないのだ。

ビジネスの世界では、今日の友が明日の敵に豹変《ひょうへん》することだってある。シビアな彼らは、蓮が若いからといって大目には見てくれない。

それくらいは蓮にだってわかる。

だから――現在の自分が経験値が低く未熟であるのは大前提として――少なくとも先行きに不安を抱かせない程度には自分を大きく見せなければならなかった。

心身共にきつかったが、死の間際の祖父に「俺がシウヴァを受け継ぐ」と宣言した以上、泣き言は言えない。

形見の指輪に誓ったからには、どんなに辛くても投げ出すことはできなかった。

四六時中気を張っているせいか、一日のタスクが終わるとぐったり疲労困憊《ひろうこんぱい》し、気を失うようにソファや椅子で眠ってしまう。いつ自分がベッドに入ったのか、記憶がないこともしばしばだった。

その上、眠っても疲れがなかなか取れなかった。

朝起きた瞬間から頭がぼんやり澱《よど》んでおり、体も重怠い。食欲もなかった。

ロペスが心配してかかりつけ医を呼び、診察を受けたが、これといった疾患は見つからず、「心労が重なって疲れているのでしょう」との診断で、サプリメントを処方された。

まとまった休暇を取って気分転換するのがいいとわかっていたが、当面それは許されそうになかった。

新当主として、祖父が担っていた「役職」および「業務」の引き継ぎが完了するまで、隙間なく埋まった日程から解放されることはない。

びっしり分刻みで詰まったスケジュールに加え、どこへ行くにもボディガードが最低二名張り付くのもストレスの要因だった。

以前は、パーティなどの特別な日以外は、屋敷の敷地内に限って一人で自由に歩き回ることができたが、祖父の死後はそれすら許されなくなった。

外出時はおろか邸内でも、二十四時間体制でボディガードが行動を共にし、完全に一人になれるのは部屋の中だけ。その際もドアの外に警護が付く。

祖父が襲撃に遭って間もないので、過剰警備も仕方がないと理解している。

頭では理解しているが、息が詰まる。

以前のように庭で遊んでやれないのでエルバも寂しそうだ。

だが実は、一番のストレスは他にあった。

たぶんそれがなにより、ボディブローのようにじわじわと自分にダメージを与えている……。

蓮はふーっとため息を吐いた。

今夜はそれでもひさしぶりに夜の会食予定がなかった。先程夕食は部屋で食べたので、これから就寝までは自由時間だ。相変わらずドアの外に屈強なボディガードが二名立ってはいるけれど。

「エルバ、おいで」

呼びかけに、床に寝そべっていたエルバがむくっと身を起こし、蓮が座っているソファにひらりと飛び乗った。顔をすり寄せてきて、蓮の首筋をざりざり舐《な》める。

「ひぁっ……くすぐったいって」

エルバに押し倒されながら、そのあたたかい頸《くび》に腕を回し、グルグル鳴る喉の音を聞いていると、コンコンとノックが聞こえた。

「蓮様」

ドア越しの低音にぴくっと肩が揺れる。

(来た!)

息を詰めている間にドアが開き、一人の男が部屋に入ってきた。

仕立てのいいスーツに逞《たくま》しい長身を包み、白いシャツの首元にネイビーブルーのネクタイを締めた男。

男が部屋の中程まで進み、エルバに押し倒されている蓮を見てつぶやく。

「返事がないので眠っているのかと思いました」

「…………」

ちらっと男——鏑木《かぶらぎ》に視線を向けた蓮は、不機嫌な心境を隠さずに、ぷいっと顔を背けた。

祖父の死後、鏑木は蓮に対して他人行儀な言葉遣いをするようになった。以前は呼び捨てだったのに「様付け」に。呼びかけも「おまえ」から「あなた」に変わった。

はじめは聞き慣れない物言いにびっくりし、拒絶反応をあらわにした。

「なにそれ？　気持ち悪い話し方やめろよ」

だが蓮の抗議に対する鏑木の返答は素っ気ないものだった。

「あなたはシウヴァの当主となられたのです。以前とは立場が違います」

「立場ってなんだよ！」

「もはや対等ではないということです」

どんなに「頼むからやめてよ」と頼み込んでも、半ギレで「やめろって言ってるだろ！」と怒鳴りつけても、頑として聞き入れない。

「じゃあせめて……二人の時は昔どおりでいいだろ？」

最大限の譲歩にも、

「そうはいきません。これはけじめですから」

の一点張り。

言葉遣いが敬語なら態度もよそよそしい。

以前のような親密さは封印され、この一ヶ月は「主従」の一線を明確に引かれている。

気安い軽口も、親しみを込めたスキンシップもなくなった。

この鏑木の変化こそが、目下の蓮の最大にして最悪のストレスだった。

これまでの六年間、鏑木は誰よりも蓮の側にいた。

時に頼りがいのある兄のように、時に年の離れた友人のように接してくれた。

広い屋敷の中で、独りぼっちの自分に寄り添ってくれた。

ホームシックになった自分のために、エルバをジャングルから連れてきてくれたのも鏑木だった。

鏑木がいなかったら、とっくにジャングルに逃げ帰っていただろう。

祖父が死んだ悲しい夜も、ずっと傍《かたわ》らで支えてくれたのに……。

あの時、離れかけていた気持ちがふたたび近づいたと感じたのは思い違いだったのか。

祖父を失ったいまこそ、本当なら一番鏑木に頼りたかった。なのにわざと距離を置くようなビジネスライクな対応をされ、蓮は深く傷ついた。

祖父の死によって、祖父の側近であった鏑木は蓮の側近となった。

そのため以前より一緒に過ごす時間が長くなった。

特にこのひと月余り、鏑木は『パラチオ　デ　シウヴァ』に寝泊まりして、どこへ行くにも蓮に同行している。就寝時間以外のほぼすべての時間を共有していると言っても過言じゃない。

(なのに……)

前よりも鏑木を遠く感じる。

体は近くにあっても心が遠い……。

「明日は午前九時三十分からシウヴァ教育財団トップとの顔合わせです。明朝八時半にお部屋に迎えに伺いますがよろしいですか？」

淡々とした事務的な確認に、蓮は無言でうなずいた。

このところ鏑木との会話が苦痛で、なるべく言葉を交わさないようにしているのだ。

目の端で盗み見た鏑木は、仮面を装着したかのような無表情で、なにを考えているのかさっぱりわからなかった。ポーカーフェイスの鏑木は以前とは別人みたいに思えて……。

（……『あの夜』のこともすっかり忘れたみたいに……）

蓮自身はもちろん忘れていない。忘れられるわけがない。

祖父の死後の多忙さに紛れ、以前ほど頻繁に思い出すことはないが、それでも夜寝る前など脳裏に『あの夜』が蘇り、胸苦しい気分になる。一度思い出してしまうと簡単には胸騒ぎを追い払えず、しばらく悶々《もんもん》とした。

だけど『あの夜』に囚われているのは自分だけなのだ。鏑木にとってはとうに過ぎ去った「過去」でしかない。そう思うと惨《みじ》めで虚しかった。

子供っぽいとわかっていても、鏑木に対して拗《す》ねたような態度を取ってしまうのはそのせいだ。

蓮の機嫌の悪さに気づいているのかいないのか、心情を窺《うかが》わせない無表情のまま、鏑木が「それと」と言葉を継ぐ。

「縁談がきています」

「……え？」

不意を衝《つ》かれた蓮はエルバの頸を放し、がばっと身を起こした。

「縁談⁉」

「お相手はブラジリアン・オイル・トラスト会長バリケーロ氏の孫にあたる、ヴィトーリア・バリケーロ令嬢。年齢は十六歳。家柄と資産は申し分ありません。先に写真を拝見しましたが、大変にかわいらしい女性です。サンパウロに生まれ、現在米国に留学中ですが、バリケーロ氏はシウヴァとの縁談を望んでおり……」

「ちょっ……待てよ！」

流暢な鏑木の弁を大きな声で遮る。

「お祖父さんの葬儀からまだ一ヶ月しか経ってないんだぞ！」

食ってかかる蓮を相手にせず、鏑木が「ですから」と冷静な声を紡いだ。

「縁談自体はもっと以前にきていたのですが、蓮様の心情を慮《おもんぱか》り、ひと月待ちました」

「……っ」

「シウヴァの幹部会は、蓮様になるべく早く身を固めていただきたいと考えています。理由の一番目は言うまでもなくお世継ぎのこと。また今後は、シウヴァの当主として公式の場に招待されることが多くなります。欧州や米国において、そういった場では夫婦同伴が基本です。これがふたつ目。さらにもうひとつ、奥様がいれば社交的な催し事やチャリティ関連行事を任せることができます。そのぶん蓮様は負荷を軽くすることができる。以上三点が幹部会がこのたびの縁談を勧める理由です」

淀《よど》みなく説明され、ぐっと言葉に詰まる。説明自体は隙がなく理路整然としているが、だからといって納得できるものではない。

(結婚なんて……いまの状況で考えられるわけないだろ！)

そんなの、鏑木が一番わかってるはずなのに。

釈然としない思いが胸の中でもやもやと渦巻く。鬱積《うっせき》と苛立ちを持て余した蓮は鏑木を睨み上げた。

「……おまえはどう思ってるんだよ？」

鏑木がぴくっと眉を蠢《うごめ》かす。だが、発せられた声はあくまで平淡だった。

「私がどう思うかは関係ありません。もう当主なのですから、他人の意見に左右されるようなことがあってはなりません。蓮様が決断を下し、私は従うだけです」

冷ややかな物言いで突き放され、体がすーっと体温を失う。

蓮は指先まで冷たくなった両手をぎゅっと握り締めた。

しばらくの間、蓮の強ばった表情を見下ろしていた鏑木が、静かに口を開く。

「どのような結論であれ、蓮様の決断に従うことを前提の上で敢《あ》えて申しあげるとすれば……シウヴァの当主という立場は非常にストレスフルです。それ故に一日も早く、蓮様を精神面で支えてくださる伴侶《はんりょ》が現れるのを私は望んでいます。これは亡くなった翁《おう》のご遺志でもあると考えています」

「………」

祖父の遺志などと言われると、いよいよ言い返せない。

（お祖父《じい》さんを持ち出すなんて……ずるい）

蓮は唇を痛いほど噛み締めた。

「……わかった……もういい」

投げやりな心境で吐き捨てる。

「下がれ」

これ以上鏑木の冷静な見解を聞きたくなかった。心がひりひりして……耐えられない。

「蓮様」

「いいから下がれ！」

声を荒らげて命じると、鏑木が黙って一礼し、踵《きびす》を返した。一顧だにせずドアへまっすぐ向かい、部屋の外へと消える。

パタンという開閉音が届くやいなや、蓮は手近にあったクッションを鷲摑《わしづか》みにし、床に強く叩きつけた。

「……くそっ」

罵声にエルバがピクッと身を震わせる。

「グルウウ……」

「……ごめん……驚かせた」

蓮はエルバの鼻面に額を押しつけた。あたたかい体に両腕を回して抱き締めたが、芯まで冷えきった体はなかなか体温を取り戻さなかった。

鏑木を退《しりぞ》けたあと、心の奥にいがらっぽいざらざらした感情を抱えつつ風呂を使った蓮は、早々にベッドに入った。

このまま起きていたところで鏑木とのやりとりを延々と反芻《はんすう》してしまい、鬱屈が増すばかりだと思ったからだ。

デュベに潜り込み、ライトを消して目を閉じた。眼裏《まなうら》に鏑木のポーカーフェイスが浮かび上がる。

——私がどう思うかは関係ありません。

——一日も早く、蓮様を精神面で支えてくれる伴侶が現れるのを私は望んでいます。

——これは亡くなった翁のご遺志でもあると考えています。

振り払おうとして何度寝返りを打っても、他人行儀な物言いとよそよそしい態度が頭から離れない。時間が経つにつれて心が鎮まるどころかむしゃくしゃした気分が膨れあがってきた。

「ちくしょうっ」

胸の中に充満したフラストレーションを口から吐き出し、デュベごとガバッと身を起こす。鎖に繋がれてフットレストに寝ているエルバが、蓮の負の感情に共鳴してか「グォルルッ」と低く唸《うな》った。

首筋がチリチリと粟立ち、胃がムカムカして、とてもじゃないが寝つけない。

蓮は暗闇を睨みつけた。

この一ヶ月ずっと遣《や》り場《ば》のない苛立ちを抱えていたけど、今日ははっきりとわかった。

鏑木は変わってしまった。もう昔の鏑木じゃない。

鏑木にとってなにより大事なのはシウヴァで、自分のことはシウヴァという帝国を継続・繁栄させるためのコマくらいにしか思っていない。

俺個人の意志なんかどうでもいいんだ。

むしろ感情のない人形のほうが操りやすくて都合がいいって思っているに違いない。

(誰も彼もが口を開けばシウヴァ、シウヴァって……もうたくさんだ！)

このひと月、歯を食いしばって耐えてきた。だけどもう無理。限界だ。

溜まりに溜まったストレスをいますぐ発散しなかったら、頭がおかしくなりそうだった。

ベッドから飛び下りた蓮は、その場で寝間着を脱ぎ捨てた。下着一枚でウォークインクロゼットに足を踏み入れ、スエットパーカを頭から被る。下もスエットパンツを穿いた。

(今夜こそ……外に出る！)

この六年間、蓮だって「シウヴァという名の監獄」からの脱走を考えなかったわけじゃない。

何十回となく逃げ出したい衝動に駆られたし、実際脱走の寸前で踏みとどまったことだって何度もあった。

そうしなかったのは、自分が屋敷から抜け出したら、監督不行届の科《とが》で鏑木やロペスが祖父に叱責されると思ったからだ。

でも、もうその祖父もいない。我慢する必要はなくなった。

それに今夜はどうしても、鏑木と同じ建物の中で過ごしたくなかった。

ふっと脳裏に浮かんだ鏑木の険しい顔を、ふるっと頭を振って追い払う。

（誰がなんと言おうと出かける！）

改めて決意を固め、スニーカーの紐《ひも》をぎゅっと結んだ。

続いてサイドボードの引き出しを開け、封筒を取り出す。黄ばんだ封筒の中には紙幣と硬貨が数枚ずつ入ってた。六年前、ジャングルの父が餞別《せんべつ》代《が》わりに持たせてくれたものだ。

財布を持っていない蓮は、そのまま封筒をパーカの前ポケットに突っ込んだ。

ここに来てからは、必要なものはロペスか鏑木が揃えてくれたし、支払いはサインで済ませていたので、カードや現金を持つ習慣がなかった。そのせいで正直、物価もよくわからない。

（でもたぶんこれでタクシーくらいは乗れるだろう）

少し悩んだが、スマートフォンは置いていくことにした。GPSで位置探索される可能性があるからだ。

身支度が済むと、蓮はもう一度ウォークインクロゼットに戻り、ありったけのネクタイを抱えてベッドまで運んだ。ネクタイの端と端を固結びにし、六メートルほどの長さに連結する。そうしてから片方の端に、重り代わりのペーパーウェイトを結びつけた。

準備を終えた蓮は、異変を察して体を起こしているエルバに話しかける。

「エルバ、ごめん。今夜はおまえは留守番だ。次は連れていくから」

頭を撫でて言い聞かせると、一瞬寂しそうな顔をしたが、了承の印に尻尾《しっぽ》でパタンとフットレストを叩いた。

「じゃあちょっと出かけてくる」

エルバにそう告げ、結んだネクタイの束を持って主室のバルコニーに移動する。

ドアの外にはボディガードが寝ずの番をしているから、ここから抜け出すしかなかった。

ネクタイのロープの片端を手摺りの桟《さん》に結びつけ、逆の端のペーパーウェイトを手摺りの上から地上に向かって投げ下ろす。ほどなく地面に重りが落下したゴツッという音が届いた。

「よし」

パーカのフードを被った蓮は、ひらりと手摺りを乗り越え、ロープを伝って二階から地上へと下りた。とんっと地面に下り立つやいなや、暗闇に紛れて邸内を移動する。

六年間、ほとんどの時間をこの『パラチオ　デ　シウヴァ』内で過ごした蓮は、邸内の見取り図を空で描けるほど内部を熟知していた。頭の中にその見取り図を広げ、最短距離で敷地を取り囲む外壁まで辿り着く。

正門と裏門は警護が厳重だ。

見つからずに外へ出るには外壁を乗り越えるしかない。

目の前の壁の高さはおよそ五メートル。

きょろきょろと周囲を見回した蓮は、壁と樹木の枝が接しているポイントを見つけ出した。これと見定めた樹木をするする登り、外まで張り出した枝を伝って壁を乗り越える。ここからは外壁そのものを下りるしかない。幸い積み重なった石と石の間に微かな窪《くぼ》みがあったので、そこに指先と爪先を引っかけ、ボルダリングの要領で下りた。

残り一メートルを残し、石垣からひらりと飛び下りる。地上にタンッと着地するなり駆け出した。石畳の道を、外灯の光の届かない場所を選んで走る。できるだけ早く『パラチオ　デ　シウヴァ』から離れたかった。

十分ほど走り続けて背後を窺う。誰も追ってきていないと確信を得て足を緩めた。

適当に走ってきたので正確な場所は不明だが、住宅街の細い道だ。夜も遅いせいか家々の灯りは落ち、シンと静まり返ったストリートには人影もなかった。

誰もいない裏道の中程で足を止め、パーカのフードを外す。ふるっと頭を振ると、黒髪がバサッとばらけた。

「……はー……」

大きく息を吸う。少し湿った夜の空気が肺に流れ込んできた。

いつもと同じ空気でも、なんだか違う。解放感のせいだろうか。

(心臓がまだドキドキしている)

蓮はしばらく、六年ぶりに一人で屋敷の外に出た格別の思いを嚙み締めた。特にこのところ、ボディガードが二十四時間張り付く生活を送っていたから感慨も一入《ひとしお》だ。

仰向いた空にはまん丸の月が浮かんでいる。ウルフムーンを見上げていたら、高揚した気分がじわじわ込み上げて来た。両手を広げ、くるりと回る。

「やった！　自由だ！」

思わず叫んだ。

もういっそこのままジャングルに帰ってしまおうか。

昂《たかぶ》った脳に刹那そんな考えも過《よ》ぎったが、すぐに思い直す。エルバを屋敷に置いていくわけにはいかない。

明け方までには戻らなくちゃいけないけど、それまでの数時間は自由を満喫しよう。

とりたててどこかに行きたいという具体的な要望はなかったが、心情的に『パラチオ　デ　シウヴァ』からなるべく遠くに離れたかった。

フードを被り直し、ぶらぶらと歩き出す。車の中からいつも眺めていた街並みも、自分の足で歩くとなると新鮮だ。

三十分ほど夜の散歩を満喫したのちに大きなストリートに出たので、タクシーを停《と》めて乗った。

「どちらまで？」

「とりあえずこの通りをしばらく流してください」

運転手にそう告げ、シートに凭《もた》れて車窓に目をやった。

（ちょっと疲れたな）

最近睡眠不足だったのと、食欲がなくて体重が減ったせいか、思っていたより体力が落ちてしまっているようだ。

車窓を流れていく景色をぼんやり眺めていて、ん？　と眉をひそめる。それまでは整然と美しかった街並みが、いつの間にか一変していた。修繕されていない古いビルや、朽ちかけたバラック小屋が立ち並び、見るからに荒廃した雰囲気だ。

夜もだいぶ更けたのに、あちこちに若者らしきシルエットがたむろしているのが見える。誰かがラジカセでも鳴らしているのか、大音量のサンバが聞こえてきた。

「ここって……」

蓮のつぶやきに、運転手が「このあたりはスラムだよ」と答える。

「……スラム」

前にもリムジンの中から見かけたことがあって、そのエリアが気にかかっていた。

蓮が暮らす高台の高級住宅街とは、空気感からして異なる異世界。

しかしそれもまたエストラニオの一面であるのは間違いない。

せっかく外に出たのだから、普段は接しない空間に身を置いてみたかった。

「ここで停めてください」

「えっ……ここで？」

運転手がミラー越しに蓮を見る。子供だと思ったのだろう。顔をしかめる。

「大丈夫かい？　この辺りは一人でうろつくには物騒だよ」

「大丈夫です」

きっぱりと言い切り、紙幣で運賃を支払ってタクシーを降りた。走り去るタクシーを横目に、大通りに沿って歩道を歩き出す。

貧困層の人々が暮らすエリアだということは蓮も知識として知っていたが、実際に肌で感じるスラムは、想像よりも荒み具合が激しかった。

歩道はヒビ割れ、あちこちコンクリートが欠けており、でこぼこしていて歩きづらい。しかも、目に付くそこかしこに吸い殻や空き缶、紙くずなどのゴミが散乱している。誰かの吐瀉物《としゃぶつ》も洗われることなく干《ひ》涸《か》らびていた。

かなりの高確率で建物の壁やブロック塀に、スプレーでラクガキがされている。ラクガキはスプレーアートの域に達しているものとそうでないものが混在していた。そしてこれも相当な割合で窓ガラスが割れている。

外灯も壊れたまま放置されているのか、エリア全体が薄暗くて視界が悪かった。

匂いも独特だ。屋台の食べ物屋から漂う古い油と香辛料と下水臭が混ざり合った匂い。それに加えて甘ったるいお香みたいな不思議な匂いが鼻孔を刺激する。

すれ違うのは若者が多く、多くはまだ十代で、いろいろな血が混じっていると思われるバラエティに富んだ肌の色をしている。服装は派手でじゃらじゃらと過剰にアクセサリーを身につけ、ヘアスタイルや髪の色も奇抜だ。有《あ》り体《てい》に言って柄が悪い。

興味深くスラムをウォッチしていた蓮は、視界の片隅に子供の姿を捉《とら》えて眉をひそめた。

(こんな時間に？)

どう見ても十歳には達していない子供たちが、地べたに直接座ったり、荒《あば》ら屋《や》の軒下《のきした》にしゃがみ込んだりしている。みな薄汚れた身なりをしており、中には靴も履かず、裸同然の子供もいた。

(親はなにをしているんだ？)

子供たちに気を取られていた蓮は、すぐ前の道端に、男が直座わりしているのに気がつかなかった。

「うわっ」

投げ出された足に躓《つまず》き、バランスを崩す。つんのめった蓮の腕を、誰かが後ろから摑んで引き戻してくれた。おかげでなんとか転倒を免《まぬか》れる。

「……っと」

体勢を立て直し、背後を振り返った蓮は、東洋系の少年と目が合った。切り揃えた前髪と切れ長の目が印象的な少年だ。年は蓮と同じくらいだろうか。全身黒尽くめで手足がすらりと長く、左耳にピアスをしている。

「……ありがとう。助かった」

「よそ見してんなよ」

少年が華奢《きゃしゃ》な体に似合わぬドスのきいた低音を発した。

「ごめん……子供に気を取られてて……なんでこんなところに人がいるんだ？」

思いっきり蹴ってしまったのに、道端に座り込んだ男は俯《うつむ》いたまま動かない。具合でも悪いのかと心配になり、男の顔を覗き込もうとして、少年に腕を引っ張られた。

「よせって。見りゃわかんだろ？　キメてイッてんだよ」

「キメて？」

言葉の意味がわからずに聞き返すと、少年が片眉を跳ね上げ、じろじろと蓮の顔を見る。さっき躓いた時にフードがずれて顔が剝き出しになっていたことに気づき、被り直そうとしたが遅かった。

「おまえ……見かけない顔だけどどっから来た？」

「どこって……」

　ここで本当のことは言えない。言葉に詰まる蓮を、切れ長の目を細めてしばらく観察していた少年が「旅行者か?」と訊いた。

「たまにいるんだよな。本場のスリルを味わいたいとか生ぬるいことほざいて観光気分でスラムに来るやつ。おまえ日本人?」

「……父親が日本人」

「ポルトガル語をしゃべれるってことは日系か。名前は?」

「蓮」

「レンか。俺はジン」

　そう名乗った少年が、すっと右手を差し出してきた。握手を求められているのかと思い、握ろうとしてパンッとはね除《の》けられる。

「痛っ」

「なにすっとぼけてんだよ。いくらか出せ。そしたら案内してやる」

「……え?」

　少年の要求に蓮はぽかんとした。

「おまえ、さっき後ろから見てたけどやたらきょろきょろして素人《しろうと》丸出し。そんなんじゃあっという間に身ぐるみ剝がれるぜ。おまえみたいな顔のやつは下手すりゃ輪姦《まわ》される」

「……まわ……?」

「ここはな、興味半分で素人が足を踏み入れていい場所じゃない。まぁどうしても見たいってんならスラムに詳しい俺が案内してやらなくもない。ただしタダってわけにゃいかない」

もう一度右手を出され、蓮は仕方なくパーカのポケットから封筒を引っ張り出した。その封筒を目にも留まらぬ速さで奪い取られる。

中を確かめたジンが、チッと舌を打った。

「しけてやがんな。……まぁいい」

紙幣を全部抜いて、自分のシャツの胸ポケットにねじ込むと、「ついてきな」と顎《あご》でしゃくって歩き出した。蓮はあわててジンを追い、隣に並んだ。成り行きから、図らずもアテンドを雇うことになってしまったが、こうなったら乗りかかった船だ。

せっかくなので気になっていたことを質問する。

「あそこにいる子供たちだけど……こんな時間に外にいて親に怒られないのか？」

「おまえバカ？　親がいねぇからあそこにいんじゃん」

「いない？」

「スラム名物ストリートチルドレンだよ。ほんと、なんも知らねーで来たんだな」

ジンが呆れたようにつぶやく。

「ストリートチルドレン――親なしで宿なし。親に捨てられたガキや、親から逃げてきたガキどもの総称」

「逃げてきた？」

「親がラリラリのジャンキーとかアル中とかで子供に殴る蹴るの暴力をふるう。非力な子供はやられっぱなし。……殺される前に逃げるしかないだろ？」

肩を竦めたジンが、妙に実感の籠《こ》もった声を落とした。

親に……殺される？

蓮は衝撃を押し殺し、質問を重ねる。

「子供だけでどうやって生活してるんだ？」

「物乞いしたり、あとは盗みだな。十やそこらでいっぱしのヤクの売人になるやつもいる」

答えたジンが足を止め、人差し指で蓮の胸をとんっと突いた。

「おまえ質問多すぎ。別料金とんぞ」

凄んでふたたび歩き出したジンが、出し抜けに蓮の腕を摑む。ぐいっと引っ張られ、右手の細い脇道に連れ込まれた。状況が呑み込めないまま、ジンに倣って壁に背中を張り付かせていると、すぐ目と鼻の先を制服を着たパトロール中らしき警官が通り過ぎていく。

二人組の警官が見えなくなるのを見計らって、ジンが壁から離れた。ふぅと息を吐くジンに、蓮は訝《いぶか》しげに訊いた。

「なんで隠れるんだよ？」

「やつらに見つかったら殺される」

「殺される⁉」

思わず大声が出る。

「だっ……警官だぞ？」

するとジンが無知を蔑むような眼差しを向けてきた。

「やつらはそこいらのギャングより質《たち》が悪い。俺たちを一人いくらで請け負って射殺する。今年に入って宿なしのガキが何人もやられた」

ジンの淡々とした説明に背筋がぞわっと粟立つ。

「請け負うって……一体誰がそんなこと依頼す……」

「善良な市民」

嘲笑うような声に遮られ、蓮は絶句した。

「ガキどもは商店の物を盗むし、麻薬も扱う。風紀が乱れて観光客の足が遠のく。市民にとって百害あって一利なしの害虫みたいなもんだ。害虫が駆除できて警官も小遣いが稼げて、一挙両得ってわけ」

「……そんな……」

スラムでは警察官が子供を撃ち殺すような非道がまかり通っている。

しかも依頼主は一般の市民。

エストラニオの光の部分しか知らなかった蓮には、にわかには信じられない衝撃的な事実だった。

(こんなの……誰も教えてくれなかった)

エストラニオに横たわる闇の存在。

だが……絵空事じゃない。これは現実なのだ。

蓮に「下がれ」と命じられ、彼の部屋を辞した鏑木は、現在寝泊まりしているゲストルームに引き揚げた。

部屋に入って後ろ手にドアを閉める。その表情は、蓮の部屋を辞した時から変わらずに険しかった。

重い足取りで主室のソファに近づき、どさっと腰を下ろす。片手でノットを左右に揺すり、ネクタイを緩めた。シャツの第一ボタンを外し、ふーっと嘆息を零す。

グスタヴォの死から一ヶ月余り。家に戻る余裕もなく、ここに泊まり込む日々が続いている。

葬儀のあとしばらくは、弔問客の対応に追われた。それが収束してからも各界のＶＩＰの来館が途切れず、さらにここ最近はこちらから先方に出向いての引き継ぎ業務が続く。

そのすべてに鏑木は側近として同行し、顔合わせの場にも同席した。

それだけでもひと仕事だったが、それに伴う打ち合わせにまた時間を取られる。この一ヶ月、平均睡眠時間は四時間を切っていた。食事もまともに摂れず、ウェイトもだいぶ落ちた。

サポートの自分ですらきついのだから、矢面に立つ蓮はその何倍も辛いはずだ。

ただでさえ細いのに、ここ最近は日を追って痩せていくようで、それが気にかかる。

医者に疾患があるわけではないと診断され、ひとまず安堵したが、過度のストレスがかかっているのは誰の目にも明白だった。

ゆっくり休ませてやりたかったが、グスタヴォが担《にな》っていた役職をすべて引き継ぐまではそれもままならない。

いま世間の目はシウヴァの跡継ぎに集まっている。

蓮がグスタヴォの代わりを務められるか否か、世界中が注目していると言っても過言ではない。

ここでわずかでもその資質に疑問符がつけば、ゆくゆくシウヴァの根幹を揺るがす事態に繋がりかねない。

(耐えてくれ……)

あの細い肩に日に日に重責が降り積もっていくのを見るのは忍びなかったが、いまはとにかくシウヴァのために踏ん張ってもらうしかなかった。

ひとわたりの顔合わせが済み、蓮が新しいトップとして認知されれば、グスタヴォの死で揺らいだシウヴァへの信頼も回復する。周囲も落ち着く。そうなったら少し長めのバカンスを取ることだって可能だ。

それまでの辛抱だ。

(せめて今夜はゆっくり休めるといいが……)

顔を仰向け、鏑木はソファの背に後頭部を載せた。天井をじっと見据えているうちに、つい先程のやりとりが蘇ってくる。

——……おまえはどう思ってるんだよ?

祖父の死からひと月余りで縁談の話を持ちかけた自分に対して、蓮は明らかに憤っていた。

その反応も当然。

非情であることも、蓮の怒りを買うことも承知の上で、シウヴァ幹部会の意向を口にした。

——一日も早く、蓮様を精神面で支えてくださる伴侶が現れるのを私は望んでいます。これは亡くなった翁のご遺志でもあると考えています。


あれは本心だった。これからの蓮には、心身共に彼を支えるパートナーが必要だ。

もはやただの十六歳じゃない。シウヴァ帝国の頭領なのだ。蓮の采配ひとつで、何万、いや何十万人が動く。国すら動く。

それほど巨大な権力を手にした自覚は、まだないだろうが。

蓮はグスタヴォに負けずとも劣らない能力を秘めていると自分は信じている。

秘めたるポテンシャルを最大限発揮させるためにも、一日も早く人生の伴侶を得て、サポート体制を整えなければならない。

そのために心血を注ぐ。それこそが、いまわの際のグスタヴォに「蓮を支える」と誓った自分の使命だ。

だが、それに対しての、蓮の投げやりな返答。

——……わかった……もういい。

——いいから下がれ！

憤懣《ふんまん》やるかたないといった表情を思い出すと、胸が痛む。

蓮が自分の他人行儀な態度に苛立っているのもわかっている。よそよそしい敬語を使うな、不快だと何度も訴えられた。

違和感を覚えるのはわかるが、蓮が当主となったのを機にけじめをつける必要があった。

蓮をジャングルから連れてきたのが自分だったこと、その時の彼がまだ十歳だった経緯もあり、長く友人同士のような気安さでつき合ってきた。おそらく、蓮は自分を年の離れた兄のように思っていただろうし、自分もまた弟のように感じて接してきた。

しかしそれはグスタヴォが亡くなるまでの話だ。グスタヴォの死によって蓮がシウヴァの当主となり、自分も彼の側近となったからには、いままでのような関係ではいられない。

ここから先は、馴れ合いの延長でいけるものではない。

蓮に主《あるじ》としての自覚を持ってもらうためにも、きっちりと主従の一線を引くべきだ。

そう思い、どんなに蓮が嫌がってもこのひと月は敬語を崩さなかった。

「…………」

睨みつけていた天井からふっと視線を外し、仰向いていた顔を元の位置に戻す。髪の中に両手を突っ込み、指を立てて頭皮を掻きむしった。次に顔をごしごしと擦る。ゆっくりと両手を顔から剝がし、鏑木はひとりごちた。

「……なにが使命だ」

仄暗《ほのぐら》い自嘲が唇に浮かぶ。

（……なにが弟だ）

偉そうな理屈を捏《こ》ねくり回《まわ》して並べ立ててみたところで、自分すら説得しきれない。なおのこと、突然突き放された蓮が納得するわけがなかった。

事前の心の準備もなく、突如シウヴァという巨大な船の舵取りを任された蓮の動揺は痛いほどにわかる。

祖父を失った心細さも手伝い、こんな時だからこそ年長の自分に頼りたい、甘えたいとなるのが自然な気持ちの流れだ。

この先、蓮が側近である自分への依存心を増幅させるのは想像に難くない。

蓮はいま精神的に脆《もろ》く、危うい状態にある。

そしてその蓮を側で支えるのが自分の務め。

だからこそ怖いのだ。

ここで自分が歯止めをかけないと、ずるずると越えてはいけない一線を越えてしまいそうで。

(『あの夜』のように……)

『あの夜』の自分は自制心を完全に見失っていた。いま振り返っても、なぜあんなことをしでかしてしまったのかわからない。

色恋沙汰に疎い蓮の、無意識の媚態《びたい》と挑発に煽《あお》られ、気がつくとその唇を激しく奪っていた。

しかもそれだけにとどまらず、若さ故に兆してしまった蓮の欲望を手で愛撫し、解放に導いた。

無垢な蓮は快感にも素直で、そのたどたどしい反応にさらに煽られ……。

(まったく……どうかしていた)

兄貴分として弟に「性教育の手解き《レクチャー》をする」という大義名分を振《ふ》り翳《かざ》したところで限度がある。どう考えてもあれは行き過ぎだった。

なにより許せないのは……あの時の自分が蓮に対して欲望を覚えていたことだ。

男同士で、弟分で、ゆくゆくは主となる蓮に欲情するなどあり得ない。

絶対にあってはならないことだ。

もちろん蓮はかわいい。自分が彼の人生を変えたという自負もあるし、逆もまた真なり。

蓮のためならば命を投げ出す覚悟がある。

だがそれはあくまでも主人筋に対する忠誠心の範疇《はんちゅう》であり、それ以上であってはならなかった。

『あの夜』を境に、鏑木はおのれの分別に対する信頼を失った。こと蓮に関してはまったく自分を信用できなくなった。

我に返ったあとでどっぷりと落ち込み、自責の念に駆られ、一週間は仕事が手につかなかった。

蓮も心なしか動揺しているようで、『あの夜』から自分と目を合わせなくなった。

このままではいけない。やはりきちんと口に出して謝るべきだと腹をくくったところに、グスタヴォの非業の死という予想外のアクシデントが起こり、それどころではなくなってしまったが……。

葬儀が終わった段で、改めてこの先の蓮との関わり方を考えた。

取り返しのつかない過ちを起こす前に、公私の境目にしっかりと一線を引く。

馴れ合いの関係を改め、上下関係をきちんと弁《わきま》え、自分はあくまで従であることを蓮にも示す。

それが、鏑木が導き出した「解」だった。

それから一ヶ月。

自戒を込めた敬語と他人行儀な態度に、蓮が日に日に鬱憤《うっぷん》を募らせているのを感じる。拗《す》ねているのか、最近はろくに口もきいてくれないが、それも仕方がない。

（いまに慣れるさ……）

いままではグスタヴォの監視下にあり、籠《かご》の鳥だったが、この先蓮の世界はどんどん広がっていく。いろいろな人間と出会い、コミュニケーションを交わす。中には気が合い、親しくなる相手も出てくるだろう。

きっと恋だってする。結婚も……そう遠くない。

そうなれば必然的に、蓮の中で自分に対するプライオリティが下がる。仕事上での関わりのみになっていくはずだ。

自分で予測したそう遠くない未来に、覚えず表情が曇る。じんわりと胸に広がる重苦しい気分を、鏑木は首を左右に振って追い払った。

(よせよせ……考えたって無駄だ)

先のことをあれこれ予測したところで、なるようにしかならない。考えるだけ時間の無駄だ。

やや強引に思考を断ち切った鏑木は、ソファから立ち上がった。

めずらしく会食がない夜だ。明日もびっしりスケジュールが詰まっているし、今夜くらいは早めに休もう。

そう決めてスーツを脱ぎ、湯を張った浴槽に浸かった。このところ慌ただしくシャワーで済ませていたので、ひさしぶりにゆっくりと湯に浸かり、体を芯からあたためることができた。

風呂から上がったあとは、バスローブを羽織り、スマートフォンでメールチェックをする。何件か急ぎのレスポンスを必要とする案件があったので、ノートパソコンを立ち上げて返信した。すべてのレスポンスを終え、パソコンの電源を落とした時点で零時を回っていた。

（結局、午前様か）

スマートフォンを充電器に置く前に、最後の「業務」を執行する。

ＧＰＳアプリでの位置検索だ。

グスタヴォから蓮に譲られたエメラルドの指輪の台座には、万が一に備えてＧＰＳ端末が仕込んである。

蓮はそうと知らずに、当主の証《あかし》である指輪を受け継いだのだ。

三時間前に別れた蓮が自室にいることはわかっているので、これは一日の終わりの儀式のようなものだった。

いつもと同じように位置検索アプリを作動させた鏑木は、つと眉根を寄せた。

おかしい。

屋敷の中にいるはずの蓮が、遠く離れた場所にいると、画面上に表示されている。

リロードしてみたが、やはり同じエリアが示された。

しかも、表示されているあたりはエストラニオの貧民街――スラムだ。

（エラーか？）

九十九パーセントそうであろうと思ったが、疑惑を持ってしまった以上は自分の目で確かめずにいられない。

鏑木は手早く部屋着を身につけ、ゲストルームを出た。

蓮がスラムにいるわけがない。そもそも蓮の部屋はボディガード二名に護られている。彼らの目を盗んで外に出ることは不可能だ。

そう思いながらも歩幅が無意識に大きくなるのをセーブできない。

蓮の部屋に近づくと、ドアの前に立つ屈強な男たちの姿が見えた。ほっと緊張が緩む。やはりアプリのエラーだったのだ。

鏑木に気がついたボディガードの一人が、「なにかありましたか？」と尋ねてくる。

「いや……ちょっと気になってな。たぶんＧＰＳのエラーだと思うが念のために確認する。きみたちは引き続き持ち場で待機していてくれ」

男たちにそう指示を出し、鏑木は鍵を開けて室内に入った。

すでに眠りについているであろう蓮を起こさないよう、極力物音を立てず、静かに主室を横断する。内扉を開けて寝室を覗いた。

鏑木の気配にエルバがむくっと起き上がり「ウウッ」と唸る。

暗闇で炯々《けいけい》と黄色い眼を光らせるエルバを「しっ」と黙らせ、忍び足で寝台に近づいた。枕元を覗き込んだ鏑木は、もぬけの殻の寝台に瞠目《どうもく》する。

壁まで取って返して電気を点けた。明るくなった室内を見回したが、やはり蓮の姿はない。連結しているウォークインクロゼットとパウダールーム、浴室も覗いたが見つからなかった。

「蓮！　どこだ、蓮!?」

主室に移動し、声に出してその名を呼んでも返答はない。

焦燥に駆られつつ主室の真ん中での一考後、鏑木はくるっと反転してフランス窓に走り寄った。窓を開け、バルコニーに飛び出す。そこにも蓮の姿はなかったが、桟に縛り付けられた紐《ひも》のようなものが視界に入った。手摺りに駆け寄り、身を乗り出すようにして階下を覗く。紐は二階分の高さをぶら下がり、地上に届いていた。

目視できる範囲に蓮の姿がないことを確認して「くそっ」と罵声を吐く。

急いで主室に引き返し、まっすぐドアに向かおうとして、寝室から聞こえる唸り声に足を止めた。

「グォッ、グォッ」

自分を呼ぶような声に誘われ、寝室に入る。するとエルバが落ち着かない様子で体を動かし、首輪に繋がっている鎖をガチャガチャと鳴らしていた。

「グォルルルッ」

鏑木の顔を見て懸命になにかを訴えかけようとする。

「わかってるよ。おまえも蓮が心配なんだな」

鏑木は寝台の支柱からエルバを繋いでいる鎖を外した。

「一緒に来い、相棒」

解き放したブラックジャガーを従えて廊下に出ると、鏑木の顔つきから異変を感じ取ったらしいボディガードたちが「レン様になにか?」と尋ねてくる。

「やられた」

「えっ?」

「バルコニーから逃げた」

ボディガードたちの顔色がサッと変わった。自分たちの失態だと思ったのだろう。

「我々がついていながら申し訳ありません……っ」

青ざめた顔で謝罪を口にする彼らを鏑木は片手で遮った。

いまは一分一秒が惜しい。

「居場所はわかっている。すぐにピックアップに向かうぞ」

IX

警察官が小遣い稼ぎに子供を撃ち殺すような非道がまかり通っているスラム。

蓮《れん》が住む場所から車で三十分と離れていないエリアに、エストラニオの深い闇が横たわっていた。

光が強いからこそ、影もまた濃いとはいえ……。

　同じように貧しくても、蓮が生まれ育ったジャングルでは、みんなが助け合って生きていた。子供を「宝」としてかわいがり、地域全体で育てていた。生活は苦しくとも、子供を邪険にしたり、ましてや暴力を振るうなどあり得なかった。

　だが、ここでは親が子供を捨て、時に虐待する。保護者を失った子供たちは宿なしのストリートチルドレンとなり、生きるために盗みを繰り返し、麻薬の売買に手を染める。

　そんなストリートチルドレンに手を焼いた商店主が警官に射殺を依頼する。子供の死に異を唱える者もおらず、警官の手によって事件は捻《ひね》り潰《つぶ》され、闇から闇へと葬り去られるのだろう。

　たったいま知ったばかりの衝撃的な事実を反芻《はんすう》するにつれ、胸がざらざらして胃がムカムカしてくる。もって行き場のない怒りを持て余し、蓮は奥歯を嚙み締めた。

　シウヴァは慈善団体を運営する『シウヴァ財団』を持っているし、シウヴァの奨学金制度によって毎年たくさんの子供たちが学校に通うことができている。

しかしここにあるのは、教育を受ける以前の――生き死にの問題だ。

さっき見た少年たちの、絶望と諦観《ていかん》の入り交じった昏《くら》い表情を思い出す。

光を失った、洞のような目。

彼らは大人たちからどんなに理不尽な扱いを受けても、自らの宿命をただ受け入れるしかない……。

非力過ぎて抗う術《すべ》がないのだ。

少年たちの心境に思いを馳せ、蓮が暗澹《あんたん》たる気分でいると、傍《かたわ》らを歩くジンが「どうした？」と訊いてくる。

「ヘビーな現実に打ちのめされてんのか？　おまえのオヤジの国じゃ考えられないだろーしな」

「……誰も、子供たちに手を差し伸べないのか」

「みんな自分が生き延びるのに必死なんだよ。他人のことなんか構ってらんねえ。ここでのルールは明白だ。強い者だけが生き残る。弱いやつは死ぬ。野生動物と一緒だ」

「…………」

「ま、ここに生まれなかったことを感謝するんだな」

年の違わないジンに偉そうに諭されても、蓮はなにも言い返せなかった。

ジャングルでの生活は決して裕福ではなかったが、ストリートチルドレンに比べれば遙《はる》かに幸せな環境だったことは間違いない。貧しくても、家族の愛があった。

ハヴィーナに来てからも、ロペスを筆頭にたくさんの使用人に傅《かしず》かれ、なに不自由ない生活を送ってきた。

専属の料理人が腕を振るう料理、掃除の行き届いた広い部屋、美しい調度品、自分のために誂《あつら》えられた衣類、一流の教育……。

祖父との確執や、行動を制約される不自由はあったが、それ以外は文句のつけようがない環境だ。

いつの間にか恵まれた環境に首まで浸かりきり、贅沢《ぜいたく》な生活を当たり前のように享受していた自分に気づかされる。

それどころか、あれこれ世話を焼かれること、常に言動を監視する周囲の目を、うっとうしいとさえ思っていた。

六年間、鏑木《かぶらぎ》をはじめとした側近たちに大切に護られてきたのに。

(俺は……なんにも知らなかった)

特別な教育を受け、同世代より知識があるつもりで、その実無知だった。なんにもわかっていなかった。

井の中の蛙《かわず》だった。

そんな自分が粋《いき》がって強がったところで、鏑木に相手にされないのも当然だ。

おのれの無知と無力を思い知らされ、気分がずしっと沈む。少し前までの解放感はどこかへ行ってしまっていた。

(庇護の翼の下から抜け出して自由になった気になって……馬鹿だった)

自己嫌悪に陥《おちい》り、俯《うつむ》き加減《かげん》に歩いていた蓮は、突然立ち止まったジンの肩にぶつかった。

「痛っ……なにし……て」

声が途切れる。

振り上げた視線の先に、見るからに柄の悪い男たちが立ちはだかっていたからだ。

人種も年齢も多種多様な四人組だが、全身から立ち上る物騒な気配は共通している。

「知り合いか？」

ジンに小声で訊いた。

「……ここいらを縄張りにしてるストリートギャングだ」

囁《ささや》き返《かえ》したジンが、面倒な相手に出くわしたといった表情で小さく舌を打つ。

「おい、ジン。見慣れないの連れてんなぁ」

男たちの中から、褐色の肌にびっしり入れ墨を入れたラスタヘアの男が前に出てきた。どうやらこのラスタがグループのリーダー格らしい。

「……昔馴染《むかしなじ》みだよ。ガキの頃に引っ越して……ひさしぶりに遊びに来たんだ」

ジンのとっさの嘘に、ラスタがフンと鼻で笑う。

「東洋系だな。チャイネスか、ジャポネスか」

ひとりごちながらラスタが顔を近づけてきた。無遠慮な視線でねちっこく舐《な》め回《まわ》すようにじろじろ見られ、蓮は反射的に顔を背ける。

「おまえの幼馴染みにしちゃあ随分《ずいぶん》と品のいいツラしてんじゃんか」

ラスタが分厚い唇をにやつかせた。

「この辺の出身だぁ？　嘘だろ」

「嘘じゃない」

言い張るジンに、にやにや笑いのまま「どうかねぇ」と嘯《うそぶ》く。

「スラムの人間かどうかは匂いでわかる」

ラスタがまた顔を寄せてきて、今度はくんくんと鼻を蠢《うごめ》かせた。

「さらさらの黒髪から甘〜い匂いがする。お高いシャンプーの匂いだ」

蓮の頭に鼻をくっつけて嗅《か》いでいたかと思うと、不意に手首を掴んでくる。自分の顔の前まで蓮の手を持ち上げ、ヒューと口笛を吹いた。

「爪までピッカピカに磨いてある。こりゃあ相当いいとこのお坊ちゃんだぜ」

「はな……せっ」

抗ったが、男の力は強くて拘束を解《と》けない。苛立った蓮は、思いっきり上体を捻《ひね》ってラスタの手を振り払った。

刹那《せつな》、上体を捻った反動で、蓮のパーカの首からシルバーチェーンが飛び出す。キラッと光った貴金属に、その場の全員の視線が吸い寄せられた。

(しまった!)

チェーンに通してあった指輪をさっと片手で覆い隠し、パーカの中に素早く戻す。

祖父から譲り受けた指輪が蓮の指にはゆるかったため、ジャングルの母にもらった十字架のチェーンに通してあった。いま蓮の胸元には、十字架と指輪が一緒に下がっているのだが。

「おい」

ラスタの目が油断なくギラリと光った。

「いまのはなんだ？」

蓮は黙って襟元から十字架だけを持ち上げて見せる。素朴な作りのシルバークロスで、蓮にとっては大事なものでも金銭的な価値はない。

「……ただの十字架だよ」

だがそんなことでラスタは誤魔化されなかった。

「さっきのはもっと光ってただろ」

凄むように言って、仲間に顎《あご》をしゃくる。合図を受けた三人の男たちがざっと蓮を取り囲んだ。いきなり一人が後ろから抱きついてくる。両腕ごと締め上げられた蓮は、こちらの動作を押さえ込もうとする男の腕を片手で掴み、体重を掛けて押し下げた。男が体勢を崩した隙に体を反転させ、もう片方の腕を大きく振りかぶり、鳩尾《みぞおち》に向かって振り下ろす。鏑木仕込みのセルフディフェンスだ。

「ぐ……っ」

男が息を呑む。蓮は鳩尾に入れた肘を今度は上に向かって突き上げ、男の顎を強打した。

アッパーを食らった男がひっくり返る。ラスタが叫んだ。

「手強いぞ！　いっぺんにかかれ！」

二人同時にわっと飛びかかられ、一人に羽交い締めにされる。

「くそっ……放せよ！」

足をバタつかせて暴れたが、二人がかりで来られてはどうしようもなかった。

「ジンッ」

ジンに助けを求めても、これ以上のフォローは無理とでもいうように肩を竦《すく》められる。

「手こずらせやがって」

苛立った様子のラスタが蓮の前に立ち、胸元に乱暴に手を突っ込んだ。チェーンに通した指輪と十字架を摑み、引っ張り出す。十字架には目もくれず、金の台座に嵌《はま》ったエメラルドを顔の近くまで引き寄せてしげしげと眺めた。

蓮を羽交い締めにしている男以外の二人も、首を伸ばしてラスタの手許を覗き込む。いったんは離れたジンも近寄ってきて、興味深そうに指輪を見つめた。

「でっかい碧《みどり》の石だな……まさかエメラルド？」

「本物か？」

「……わからん」

「もし本物だったらすげーお宝だぜ。台座も金で凝《こ》った彫り物がしてあるしな。なんだ？　蝶《ちょう》の模様か？」

「売り飛ばしたら幾らになる？」

「知るかよ。とにかく目ん玉が飛び出るような額だ」

ラスタが興奮気味に断じ、握り締めた指輪をぐいっと引っ張った。首の後ろでチェーンがぶつっと切れ、十字架がチャリンと音を立てて路上に落下する。

「あっ……」

蓮は路上の十字架に向かって手を伸ばした。拾おうとして足掻《あが》いたが、羽交い締めにされているので果たせない。

「放せっ……放せよっ」

「おかしなやつだな。金持ちの癖にンな安っちい十字架が大事なのかよ」

ラスタがせせら笑い、エメラルドの指輪を自分の指に嵌《は》めた。

「この石が本物かどうかはアルの店に持ち込めばわかる。おい、ジン。いい加減吐け。本当におまえの昔馴染みなのか？」

ジンが少し迷う素振りのあとで、首を横に振る。

「いや……さっき知り合ったばかりで、俺も素性はよく知らない。大方スラム見学に来たオメデタイ観光客ってとこだろ」

「やっぱ金持ちの観光客か。指輪がイミテーションでも、こいつの親から金を巻き上げるって手もある」

にんまりと笑ったラスタが、仲間に命じた。

「アジトへ連れて行け」

男たちのアジトは、スラムの一角に建つ朽ちかけた細長いビルだった。

二人の男に両側から腕を摑まれ、引っ立てられるようにして、廃墟ビルの中に連れ込まれる。

ラスタが先頭に立ち、その後ろに蓮を挟んで男が二人、その後ろにもう一人、一番後ろからなぜかジンもついてきた。事の次第によっては儲け話にありつけると思ったのかもしれない。

ビルの中は電気がきていないらしく薄暗かった。窓ガラスはすべて割れ、床には紙ゴミやガラスの破片、空き缶、空き瓶などが散乱している。元はなにかの店舗だったのか、奥にカウンターらしきものが見え、壊れたテーブルや椅子が横倒しになっていた。

ゴミだらけの床を歩かされ、階段の前まで連れて行かれる。コンクリート剝き出しの狭い階段だ。

成人男子が一人上るのがやっとといった幅の階段を、まずはラスタが上り始めた。

三人一緒には上れないと判断したんだろう。蓮の左右の腕をそれぞれ摑んでいた男たちが拘束を解いた。解放された蓮の背中を、後ろの男がどんっと乱暴に小突く。さっき蓮がアッパーを食らわせた男だ。

小突かれた蓮は階段のすぐ下まで進み、そこで足を止めた。

建物の上階に行くほどに、逃走できる確率が減る。

躊躇《ためら》う蓮を、ラスタが階段の上からドスの利《き》いた声でどやしつけてきた。

「とっとと上ってこい！」

それでも動かずにいると、背後の男が首筋にぴたっとなにかを押しつけてくる。ひんやりと冷たい感触に肩が揺れた。横目で、予想どおりにそれがナイフの刃だと確かめる。

「痛い目に遭いたくなかったら早く階段を上んな」

訛《なま》りの強い言葉で脅《おど》され、仕方なく階段を上り始めた。後ろからナイフを突きつけられながら、五階まで上がる。五階に着くと、ラスタがラクガキだらけの鉄のドアを開け、顎で「入れ」と促した。

真っ暗な室内に足を踏み入れたとたんに、甘ったるくてスパイシーな匂いが鼻を突く。

（……なんだ？　この匂い）

ラスタとその部下が床の四隅に置いてあったランプを点けた。四つのオレンジの光にぼんやりと部屋の様子が浮かび上がる。

四角い部屋だ。ドアを背にして正面の壁に大きめの窓がひとつ。これにはちゃんとガラスが嵌っている。左手の壁際にソファが置かれ、その前にはローテーブル。テーブルの上には灰皿や煙草《たばこ》、空き瓶、グラビア雑誌、ポーカーの札などが散らばっている。右手の壁にはシェルフが設置され、テレビやスピーカー、据え置きのゲーム機が置かれていた。

室内の様子にざっと目をやりつつ、脱出の可能性を探る。五階じゃさすがに窓から飛び下りるのは不可能だ。逃走経路はたったいま上ってきた階段のみ。しかもただ逃げるんじゃ駄目だ。

蓮は目の端でラスタを窺《うかが》った。

（あいつから指輪を取り戻さないと）

人数的には一対四。ジンも入れれば一対五だ。

護身術は習ったが、こちらから仕掛けていく武術は教わっていない。

喧嘩《けんか》慣《な》れしていそうな男たち相手に、彼らより体の小さな自分が挑んだところで、どう考えても勝ち目はなかった。

だけどこのままだと、十字架だけじゃなく祖父の形見の指輪まで失う……。

今頃、行き交う人の靴に踏まれているのであろう路上の十字架を思い、胸がズキッと痛んだ。

六年間、自分を支えてくれた母の十字架。

(母さん……ごめん)

ストリートギャングに目をつけられたのは運が悪かったが、スラムを甘く見ていた面があったのも確かだ。なんの予備知識も心構えもなく、好奇心に唆《そそのか》され、勢いで乗り込んでしまった。

六年ぶりに自由になって浮かれていた感は否めない……。

変わってしまった鏑木への当てつけで、屋敷をこっそり抜け出した挙げ句のピンチ。

脳裏に、最後に見た鏑木のポーカーフェイスが浮かぶ。

当たり前だが鏑木は、自室のベッドで眠っているはずの自分がまさかスラムにいて、しかもギャングに拘束されているなんて想像すらしていないはずだ。

(……鏑木)

その庇護の下から逃げ出しておいて、ピンチになったから助けてくれ……と願うのは虫がよすぎるとわかっている。

わかっているけど……でもこんな時、どうしてもその姿を求めてしまう。

この六年間、常に自分を支え、側に居てくれた男を思い浮かべてしまう。

蓮はふるっと首を振った。

どんなに呼んでも鏑木は来ない。助けには来ない。

(自分でなんとかするしかないんだ)

そう自分に言い聞かせる蓮の腕を、男の一人が摑み、後ろに回した。残りの腕も後ろ手にされ、両手首をまとめてガムテープでぐるぐる巻きにされる。

ついには両手の自由まで奪われた蓮の前にラスタが立った。

「名前は？」

「………」

答えない蓮に、ラスタが苛立った表情を見せる。

「名前を言え」

無言を貫く蓮に代わって、ジンが横から口を出した。

「『レン』って言ってた」

「『レン』か。じゃあレン、洗いざらい吐きな。どこから来た？　お金持ちのパパの名前は？」

「………」

シウヴァの名前を出せば、そのネームバリューに戦《おのの》いて手を引くかもしれない。ちらっとそんな考えが頭を掠《かす》めた。

一方で、シウヴァを相手取り、一か八かの大勝負に打って出ようとする可能性もある。

確率は五分五分。

迷った末に蓮はだんまりを決め込んだ。シウヴァの名前を出すのは最後の最後だ。

「このガキッ！」

声を荒らげたラスタが蓮の胸座《むなぐら》を鷲摑《わしづか》みにして、ぐいっと引き寄せた。鼻と鼻がぶつかるくらい顔を寄せて凄む。

「てめぇ……舐めてんのか？」

だが蓮は、ラスタと視線をしっかり合わせて逸らさなかった。

「……ふざけやがって」

舌打ちをしたラスタが、蓮の体をいきなり前後に揺さぶり始める。手荒いヘッドバンキングに、舌を噛まないよう奥歯を食いしばった。

ガクガクと揺さぶっていたラスタが不意に手を離し、突き飛ばすように胸を強く押す。蓮の体は勢いよく後ろに吹っ飛んだ。両手が使えないので受け身が取れず、したたか腰を打つ。

「いっ……つぅ」

横倒しになった蓮に、さらにラスタが馬乗りになり、手の甲で頬を殴りつけた。

「……っ」

がつっと激しい音がして、指輪で口の中が切れる。

ジンジンと脳髄まで痺れるような痛みを、蓮は顎骨をぐっと食い締めて耐えた。

目の前のストリートギャングが、ストリートチルドレンのなれの果てであることは、蓮にも想像がつく。側で見ているジンだっておそらくそうなんだろう。

彼らだって好きでこうしているわけじゃない。生きていくためには徒党を組み、犯罪に手を染めるしかなかったのであろうことは想像に難くない。

けれど、だからといって暴力は許容できない。

暴力に屈して命乞いをすることは、シウヴァの後継者としてのプライドが許さなかった。

蓮は双眸《そうぼう》に力を込め、ラスタを睨み返した。

「へっ……強情なガキだぜ」

薄笑いを浮かべたラスタが蓮の上から体を退かせる。

「まぁいい。その強がりがいつまで続くか見物だぜ。――おい、ホセ」

ラスタが仲間の一人を呼んだ。

「この指輪を持ってアルの店に行って来い。本物だったら電話しろ」

自分の指からエメラルドの指輪を引き抜き、その指輪をホセに投げる。

指輪をキャッチしたホセが、ズボンのポケットに突っ込んだ。

「了解」

（……まずい）

外に持ち出されたら、二度と手許に戻って来ないかもしれない。

死の間際の祖父の顔が脳裏に浮かぶ。

蓮の指に嵌った指輪を見て涙を流した祖父……。

祖父にとっては、それだけ大切なもので――

「待ってくれ！」

思わず声が出る。倒れたまま床を這いずり、部屋から出て行こうとするホセを必死に引き留めた。

「待てよ！　待っ……」

蓮の引き留めを無視してホセがドアを開ける。直後。

「うわぁっ」

絶叫が轟《とどろ》き渡《わた》った。全員の視線が、野太い悲鳴の発信源であるホセに集まる。

蓮の目も立ち竦むホセの後ろ姿を捉え——そしてその向こう側に、黄色いふたつの眼を見た。

闇の中で黄色い眼が爛々《らんらん》と光り、地を這うような唸《うな》り声《ごえ》が響く。

「グォルルルル……」

「ひぃ……っ」

後ずさったホセがよろけてどしんと尻餅をつき、室内は一瞬にして恐慌状態に陥った。

「ジャ……ジャガー⁉」

「マジかよ？　なんでこんなとこにジャガーがいるんだよっ⁉」

「知るかよ！　意味わかんねえっ」

「マドレミーオ！」

突然現れた漆黒の獣に場が騒然とする中、蓮は一人夢見心地でつぶやく。

「エルバ……？」

なんでここにエルバがいるのか？

夢でも見ているんじゃないかと自分の正気を疑い、ぼうっとしている間に流線形のシルエットを持つ黒い獣が室内に入ってくる。床にへたり込んだホセにのし掛かり、体重をかけるようにして前肢で胸を押した。床に押し倒され、恐怖に竦み上がる男の首筋に、フーッと息を吹きかける。

「たっ……」

半泣きのホセが仲間に助けを求めた。

「助けてくれぇっ」

しかし男たちはフリーズして動けない。

エルバが大きな口をくわっと開けた。真っ赤な口の中で尖《とが》った牙がギラッと光る。

「ガゥアッ」

咆哮《ほうこう》で我に返ったらしいラスタがソファに飛びつき、クッションの後ろから銃を取り出した。その銃をエルバに向けて構える。

「こっちに来るなぁっ……」

「ガゥアッ……ガゥアッ」

エルバが咆哮で応戦し、引《ひ》き攣《つ》った顔のラスタがトリガーに指をかけた。

(まずい。撃たれる！)

「エルバ、動くな！」

命じるなり、蓮は全身のバネをフル稼働して床から跳ね起き、ラスタの脚に体当たりをかける。ラスタがぐらつき、体を打ちつけるようにして床に倒れ込んだ。蓮も一緒に倒れ、ラスタの上に折り重なる。

「くそっ……」

下敷きになったラスタが今度は蓮に銃口を向けた。

「……っ」

視界いっぱいに映し出された黒い銃口に、ドクンッと心臓が跳ねる。

凶弾に倒れ、非業の死を遂げた祖父。

自分もまた、祖父のあとを追うことになるのか。

シウヴァは呪われた一族――まことしやかに囁かれる伝説を、やはり覆《くつがえ》すことはできないのか。

焦燥と絶望に覆われ、体が冷たくなっていく。

シンシンと冷えた蓮の脳裏に鏑木の顔が浮かんだ。

(鏑木……)

こんなことになるなら……意地を張らずに本当のことを言えばよかった。

おまえに距離を置かれて寂しかったんだと、素直に本心を伝えればよかった。

「……かぶら、ぎ」

口の中で小さくその名を呼んだ。

もはや伝わることのない思いを噛み締めた――刹那。

ドンッと部屋が揺れるほどの大きな音が響いた。ラスタの視線が音の方角へ流れる。蓮も顔を捻った。

ガッシャ――ン!

窓ガラスが割れ、黒尽くめの男が飛び込んでくる。ぶら下がっていたロープを放し、床に着地した男が、立ち竦むストリートギャング二名を、鮮やかな回し蹴りで立て続けに薙《な》ぎ倒《たお》した。吹っ飛んだそれぞれが壁にドンドンッとぶつかり、ずるずると沈む。

残った一人、ジンがあわてて両手を挙げ、「俺はこいつらの仲間じゃない!」と叫んだ。

「ならそこを動くな」

ジンに釘を刺してくるっと踵《きびす》を返した男と目が合い、蓮は叫ぶ。

「鏑木っ⁉」

窓からの侵入者は鏑木だった。

たったいま思い浮かべたばかりの男を呆然と見つめ、「な……んで……」と掠れ声を零す。とっさには状況が理解できなかった。

「どうしてここに……ぐっ」

混乱する蓮の首をラスタが後ろから腕で絞める。こめかみに銃口を押しつけ、「動くな！」と大声で制した。

「ガキを撃つぞ！」

厳しい表情の鏑木がぴたりと動きを止めた。

「わかった。動かない。だから撃つな」

静かな落ち着いた声で諭し、両手を挙げて頭の後ろに回す。

「こっちはなにも持ってないぞ」

「絶対動くなよ！　動いたらぶっ放す！　そこのジャガーを退《ど》けさせろ！」

ヒステリックにわめくラスタに肯首してみせ、鏑木が「エルバ」と呼んだ。

「こっちへ来い」

「グォルル……」

エルバがホセの上から下りる。ホセは腰が抜けているようで動かなかった。タタッと走り寄ってきたエルバが鏑木の足許に身を寄せる。

「退けたぞ。さぁ、次はどうする」

「ジャガーと一緒にそこにいろ。妙な気を起こすなよ」

鏑木に念を押し、ラスタがゆっくりと起き上がった。

蓮の首を腕で絞めたまま、開け放たれたドアのほうへじりじり移動する。

ラスタに引き摺られながら、蓮は鏑木を見つめた。

こんな状況でも鏑木は落ち着き払っている。自分をまっすぐ見つめ返す灰褐色の双眸を見ていたら、不規則だった鼓動が徐々に鎮まってきた。

(大丈夫だ。……鏑木がいるから……もう大丈夫)

自分に言い聞かせ、ラスタの誘導に大人しく従う。

下手に抗って、鏑木の足手まといになるのは避けたかった。

「おい」

不意に鏑木に呼び止められたラスタがぴりぴりした声音で「なんだ!?」と返す。

「手が震えてるぞ。人を撃ったことあるのか?」

「…………」

「その角度で撃つと脳漿《のうしょう》が飛び散ってすごいぞ。びちゃっと顔にかかる」

えぐい煽り文句にラスタが苛立った様子を見せた。

「うるせえ」

「上手く避《よ》けないと顔中脳みそだらけだ」

「黙れっ！」

いきり立った怒声をかき消すように、誰かが勢いよく階段を駆け上がってくるダダダダッという靴音が届く。

「……ッ」

ラスタが階段の音に反応して視線を逸らした――その一瞬の隙を逃さず、鏑木が飛びかかってきた。鏑木の動きに反応して、蓮も素早く身を捩《よじ》る。

蓮を締め上げていた腕が緩むのと、鏑木のフックがラスタの側頭部を捉えたのはほぼ同時。

ガツッと鈍い音がしてラスタの上体が揺らぐ。

「ぐぇ……っ」

上体を浮かせたラスタに間髪《かんはつ》容《い》れず、鏑木が駄目押しの左アッパーを決めた。拳銃が吹っ飛び、ラスタはもんどり打つようにして床に倒れる。

エルバがひらりとその上に飛び乗り、「ガゥアッ」と牙を剝いた。薄目を開けたラスタが間近のジャガーに「ひっ」と喉を鳴らす。

「セニョール・カブラギ！　大丈夫ですか？」

勝敗がついたちょうどその時、ボディガードの一人が部屋に飛び込んできた。鏑木が腕時計を見て「ジャスト五分」と低音を落とす。

「打ち合わせどおりだな。下はどうだ？」

「エンリケが出入り口を張っていますが、いまのところ他に仲間はいないようです」

うなずいた鏑木が、ボディガードに指示を出した。

「こいつらを縛り上げてくれ」

「了解しました」

ボディガードが転がっていたガムテープでラスタたちを縛っている間に、鏑木は蓮の手首のテープを外してくれた。

「ありがとう」

痺れた両手をさすりながら、体を反転して鏑木と向き合う。

「…………」

憮然とした表情に鏑木の憤《いきどお》りを感じたが、謝罪の言葉よりも先についに疑問が口をついて出た。

「どうしてここにいるってわかったんだ？」

鏑木が腹に溜まっている怒気をいったん抜くようにふぅ……と息を吐く。その後、気を取り直した顔つきで説明を始めた。

「翁《おう》の時代から、万が一に備えて指輪の台座にはＧＰＳ端末が埋め込まれているんだ。——寝る前に念のために現在位置をチェックしたら、とうに眠りについているはずのおまえがスラムにいることになっていた。アプリのエラーだろうと思いつつも胸騒ぎがして寝室を確かめに行ったところ、ベッドはもぬけの殻だった」

淡々とした声で指輪の秘密を語る。

「知らなかった……そうだったのか」

　知らない間に行動を監視されていたのは不本意だったが、そのおかげで助かったのだから文句は言えない。

「位置探索の結果、おまえがこのビルにいることが確認できたので建物の状況を調べた。すると、現在入居者・管理者ともに不在で、ストリートギャングのアジトになっていることがわかった。おまえが自らそんな場所に赴くわけがないから、ギャングたちにアジトへ連れ込まれ、逃れられない状況下にあるのだろうという推測が立った。そこまでわかれば、あとは速やかな救出あるのみだ」

　鏑木はさらっと言ったが簡単なことじゃない。

　一歩間違えば鏑木だって危なかった。

　それなのに我が身の危険を顧みず、助けに来てくれた。

　鏑木への当てつけで屋敷を抜け出した自分が悪いのに。

（俺が……悪いのに）

　謝らなきゃ。

　そう思ったが、なぜか声が出ない。

　鏑木の咎《とが》めるような視線が辛くて蓮はじわじわと目を伏せた。

　気まずく俯いていると、「蓮」と名前を呼ばれる。

　ぴくっと肩を揺らし顔を振り上げた瞬間、パンッと頰に衝撃を受ける。

「……………ッ」

一瞬なにが起こったのかわからなかった。反射的に頬に手をやる。

しばらくして、鏑木にぶたれたんだと気づいた。そんなに強い力じゃなかったけど、叩かれた頬がじんじん痺れている。

「叩かれた理由がわかるな？」

怖い顔の問いかけに、蓮はこくりとうなずいた。

「軽はずみな行動のせいで、下手をすればおまえは命を落としていた。そうなったらどれだけの人間が悲しむと思う？　ロペス、アナ、ソフィア……もちろん俺もだ」

鏑木の声には、抑えようとしても抑えきれない憤りが滲《にじ》み出《で》ていた。

長いつき合いだけど、手をあげられたのは初めてだ。

それだけ心配をかけたのだと胸が痛む。

同時に胸の奥から湧き出てくる熱い感情があって……。

鏑木に大切に想われている自分を改めて実感した蓮は、怒りの感情を宿した灰褐色の瞳を見つめ、真剣な声音で告げた。

「ごめん」

「…………」

「もう二度とこんな真似はしない。……本当にごめん」

心からの言葉だと伝わったのか、鏑木の表情がわずかに緩んだ。だがまだ口許は引き締めたまま、蓮の頭に手を載せる。

「約束だぞ」

「うん」

「よし」

大きな手でぐしゃっと髪を掻き混ぜられ、くすぐったい気分が込み上げてきた。

こういう感じはひさしぶりだ……と感慨に耽《ふけ》っていて、ふと気がつく。

「あっ……」

声をあげた蓮に、鏑木が訝《いぶか》しげな顔で「なんだ？」と訊いた。

「言葉遣い……元に戻ってる」

慇懃《いんぎん》な敬語じゃなくなっている！

「ああ……そうだな」

鏑木がそういえばといった顔つきで認めた。ざらりと顎《あご》を撫で、うん……とひとりごちる。

「俺も形式にこだわりすぎていた。これからもオフィシャルでは改めるが、プライベートは昔どおりに臨機応変にやっていく」

「やった！」

昔の鏑木が帰ってきた！

喜びを爆発させ、蓮は鏑木に抱きついた。

「おい……さすがにこれはくっつきすぎだ。離れろ」

困惑した声の指示に「いやだ！」と反抗する。

ここで離れたら、また鏑木が慇懃バージョンに戻ってしまいそうで、蓮は腕を回して逞しい胴をぎゅっと抱き締めた。

「蓮、こら」

「セニョール・カブラギ」

もみ合っているとボディガードが声をかけてくる。

「こいつらをどうしますか？」

ボディガードが親指で示した場所には、両手両足を縛られた男たちが集められていた。床に転がされた男たちの中にはジンもいて、心なしか不安そうな顔をしている。

「このまま放置でいい。俺たちは警察じゃないからな。そのうち仲間が来てテープを解くだろう」

鏑木の回答を聞いて密かに安堵した。

彼らの行為はもちろん誉められたものではないが、自分がスラムに来なければこんなことにはならなかった。そもそもの元凶は自分だという自覚があったからだ。

そんなことを思い巡らせながら、すっかり戦意喪失したストリートギャングを眺めていた蓮は、失念していた大事なことを思い出した。

鏑木から離れ、男たちに駆け寄る。ホセのズボンのポケットをしばらく探って、「あった！」と叫んだ。摘み出したのは祖父の指輪だ。

「よかった……」

戻って来た指輪を大切に握り締める蓮のもとへ、鏑木が歩み寄ってきた。

「指輪を取られたのか？」

「そう……取り返せてよかった。あっ、そうだ。十字架も捜しに行かなきゃ。まだあの場所にあればいいけど」

「十字架？」

「指輪を取られた時に路地に落っこちちゃって……」

「俺が持ってる」

鏑木に事情を説明していた蓮は、背後から差し込まれた声にぴくっと反応する。くるっと振り返ると、床に横たわったジンがこちらをじっと見つめていた。

「あの時ドサクサに紛れて拾ったんだ。パンツのポケットに入ってる」

半信半疑でジンに近づき、パンツのポケットを探る。果たして十字架が出てきた。

「どうしてこれを？」

ひと目で価値はないとわかったはずだ。

ジンが少し面映《おもは》ゆそうに切れ長の目をパチパチとさせた。

「なんか大事なものっぽかったから……あとで渡そうと思って」

「もしかして、アジトまで着いてきたのもそのためか？」

「まぁね」

ジンなりに、ストリートギャングに絡まれたのは自分のせいだと責任を感じていたのかもしれない。思っていたより律儀な性格のようだ。

蓮は鏑木に「あいつのテープ外してやってもいい？」と尋ねた。

「おまえがそうしたいなら。どうやら一味じゃないようだしな」

鏑木の承諾を得て、ジンの手足のテープを外す。立ち上がったジンに改めて礼を言った。

「十字架ありがとう。助かった」

体についた埃《ほこり》を両手でパンパンと払いながらジンが肩を竦める。

「俺は借りは作らない主義なんだよ。はした金とはいえ、おまえからはアテンドのギャラを受け取ってるからな」

さっきまでの不安そうな様子はどこへやら、胸を張って強がったジンが、「てゆーか」と言葉を継ぐ。

「おまえら何者？　サーカスの猛獣使いかなんか？」

半ば本気らしい問いかけに蓮と鏑木は顔を見合わせ、数秒後、一斉に笑い出した。

エピローグ

折り重なる樹冠に覆われたジャングルに、カカカッ、ククククッと鳥の鳴き声が響く。

ガサガサと頭上の葉を揺らし、キキキッと鳴き声をあげるのはクロザル《モノ・ネグロ》だ。

熟《う》れた果実と濃厚な花の薫りを、蓮《れん》は胸いっぱいに吸い込んだ。

鼻孔を擽《くすぐ》る懐《なつ》かしい匂いに、生地に帰ってきた実感が湧く。

(……変わらない)

湿気を含んだむわっという蒸し暑い空気も、甘ったるい芳香も、目に飛び込んでくる鬱蒼《うっそう》たる樹木も、記憶の中のジャングルと寸分も変わらない。

蓮にとっては波乱に満ちた六年という年月も、悠久の時を生きる密林にとっては、瞬《まばた》きをするも同然の一瞬《ひととき》なのだろう。

ひさしぶりに森の懐《ふところ》に抱かれ、その安寧に身を委《ゆだ》ねる蓮の前で、メタリックブルーに輝く蝶《ちょう》がひらひらと舞った。

「モルフォ蝶だ！」

シウヴァの家紋にもなっているその蝶を見て、エルバが「グルルル」と唸《うな》り声《ごえ》をあげた。

森に入ってからずっとそわそわしているのがわかっていたので、蓮はしゃがみ込み、エルバの首輪を外してやった。

自由になったエルバが、嬉々《きき》としてモルフォ蝶を追いかけ、森の奥へと分け入っていく。

その後ろ姿に蓮は「そんなに遠くに行くなよ」と声をかけた。

そうは言ってもしばらくは戻って来ないだろう。エルバにとっても六年ぶりの古巣だ。

ひさしぶりに帰還したかつての『森の王』を、動物たちは迎え入れてくれるだろうか。当時とは森の勢力分布も変わってしまっているはずだが……。

もしかしたら、現在の森のリーダーである「息子」とばったり再会――なんていうドラマティックな展開もあるかもしれない。

そうなったとしても、六年ぶりに会った「息子」と語り合う時間はたっぷりある。

祖父の死後、祖父が担っていたすべての役職と業務の引き継ぎという大仕事を乗り越えた蓮に、鏑木《かぶらぎ》がご褒美《ほうび》として一週間のバカンスをもぎ取ってくれた。

「さて、どこに行きたい？　カリブか？　ニースか？　モルディブか？」

候補として高級リゾートを挙げる鏑木に、蓮は迷わず「ジャングル！」と答えた。

蓮の即答に鏑木は「だと思ったよ」と笑って「わかった。なんとかする」と請け負ってくれた。

それから一週間後、ハヴィーナからプライベートジェットで発《た》ち、途中ヘリコプターに乗り換え、つい先程ジャングルに降り立ったのだ。

移動中は、ヘリコプターの窓から蛇行する大河を眺めつつ、六年前、初めて上空からジャングルを見下ろした時の心情を懐かしく思い出していた。

思い出すのと同時に当時の心細かった気持ちも胸に迫ってきた。

鏑木の横で、家族と別れた寂しさと先の不安に震え、いまにも溢れそうな涙を必死に堪《こら》えていた十歳の自分。

ジャングルの圧倒的な広さに戦《おのの》き、人間は本当にちっぽけだと思ったっけ。

あれから六年。

この六年で自分はどう変わったんだろうか。

身長は伸びたし、筋肉がついて体つきも以前よりしっかりした。

パソコンを操れるようになり、言葉だって五カ国語をマスターしている。

乗馬も得意だし、その気になればダンスも踊れる。

だけど内面は？

少しは成長できたのか。

シウヴァを背負っていく覚悟はできたのか？

先日のスラムでの事件をきっかけに、蓮は自分の役割について考えるようになった。

シウヴァの血筋に生まれつき、運命の糸に操られるように十六で当主となった。

運命……そう――こうなったのには、なにか理由があるような気がしてならない。

もし、予《あらかじ》め定められていた宿命なのだとしたら、シウヴァの当主として、この先自分が為すべきことはなんなのか。

スラムでエストラニオの闇を見た。

いつかエストラニオの貧富の差を是正して、闇をなくしたい。

子供たちが明るい陽の下で幸せに暮らせる国にしたい。

漠然とした展望はあるが、それを形にするには時間がかかる。

いまの自分はまだまだ未熟で、もっともっとたくさんの経験を積んで力をつけなければ駄目だ。

出生の地に降り立った蓮が、改めて自問自答していると、地面をミシミシと踏み締める足音が聞こえてきた。獣道からミリタリールックに身を包んだ長身の男が姿を現す。念のために安全確認に出向いた鏑木が戻って来たのだ。

「どうやら問題ないようだ。行こう」

「うん」

鏑木の後ろについて、蓮も編み上げブーツで歩き出す。

道とも言えない獣道には、無数の落ち葉や小枝が降り積もり、そこかしこに倒木も横たわっている。蓮の家族が町に移住してからすでに数年が経過しており、道は以前にも増して歩行困難になっていたが、歩き始めて十分ほどで勘を取り戻せた。都会にすっかり染まってしまった気になっていたが、体はちゃんとジャングルを覚えているようだ。

「そういやエルバはどうした？」

「待ちきれないみたいだから首輪を外してやったら、喜んで森に入っていった」

「そうか。あいつにとってもひさしぶりの故郷だからな」

鏑木の背後を十五分ほど歩いたところで、不意に視界が開ける。

「あっ……」

猫の額ほどの土地の真ん中に木造の小屋が建っているのが見えた。

高床式のそれは、蓮の記憶にある小屋と違う。ちょっとした突風にも吹き飛ばされそうだった荒《あば》ら屋《や》が、見違えるほど立派になっていた。

蓮がジャングルを離れたあと、シウヴァが建て直してくれたと両親から聞いていたけれど。

小屋に駆け寄った蓮は、丸太の梯子《はしご》を上って家の中を覗いた。室内もこざっぱりと清潔で、家具や調度品が揃っている。簡易キッチンとダイニングスペースまであった。

これなら家族も快適に暮らせただろう。

地上で待っていた鏑木の側に戻るなり、蓮は「ずっと管理していてくれたのか？」と尋ねた。住人がいなくなって数年が経つのに荒れた様子はなく、掃除も行き届いていたからだ。

「おまえがいつでも帰れるようにな」

鏑木の答えに蓮は驚いた。

「いつでも？」

「家族はすでに住んでいないが、ジャングルがおまえの故郷であることには変わりない。これからは帰りたい時にいつでも帰ればいい」

（……帰りたい時に帰れる？）

「本当に？」

「ああ、シウヴァの当主となったおまえを妨げる者はいない。おまえはもう自分の行動を自分で決めることができるんだ」

その言葉に含まれた重みに気づき、蓮はしばらく押し黙った。

いままでは、誰かが決めてくれた道を歩けばよかった。

シウヴァの意向や祖父の指示に従えばよかった。

一方的な命令に苛立つことも多かったが、それでもやはり楽な道だったのだといまになって思い知る。

だが当主となったいま、受け身でいることは許されなくなった。

なんでも自分で決定できる自由と引き替えに、今後は自分の決断に対する責任を引き受けなければならないのだ。

不意に、六年前の心許なさが蘇ってきた。

ジャングルに比べて人間をちっぽけだと感じたように、自分の小ささ、無力さを痛感する。

(やっぱり全然成長できてない……)

寄る辺ない心持ちで、蓮は目の前の男を見上げた。

このジャングルで鏑木と出会って、自分の人生は変わった。

――撃たないから下りてこい。

六年前のあの日、鏑木に手を差し伸べられた瞬間から、自分たちの運命の輪は回り始めたのだ。

あれからの日々、鏑木はいつも傍《かたわ》らで自分を支えてくれた。

心細い時は抱き締めてくれた。言葉を尽くして励ましてくれた。自分が間違えば叱ってくれた。

鏑木にたくさんのものを教わり、授けてもらった。

対して鏑木のほうは、多くのものを犠牲にしたに違いない。

(俺のために……)

そう思ったら、心臓がぎゅっと痛くなる。

鏑木のことを考えると脈が乱れ、胸苦しくなるこの感情に、蓮はずっと名前をつけられないままだ。

「どうして……」

「蓮?」

唇がわななき、気がつくと心の声が零れ落ちていた。

「どうしてここまでしてくれるんだ? お祖父《じい》さんに頼まれたから? 俺がシウヴァの継承者だから?」

「蓮……」

鏑木が虚を衝《つ》かれたように軽く目を瞠《みは》り、やがて灰褐色の双眸《そうぼう》を細める。

「そうじゃない。俺はおまえがたとえスラムの子供だったとしても、おまえを側で支えたいと思っただろう。おまえには、俺をそういう気持ちにさせる特別な力があるんだ」

真摯《しんし》な言葉と真剣な面差しから、それが偽りのない本心だと伝わってくる。

胸の奥が熱くなった。

特別な力があるかどうかはわからない。

でも、鏑木に自分を認めてもらえてうれしかった。

それだけで、これからもがんばれるような気がする。一歩ずつでも先に進める気がする。

「鏑木がいなかったら……耐えきれずにとっくに逃げていた。運命から逃げ出していた。おまえが側で支えてくれていたから、いまの俺がある」

「……蓮」

「いままでありがとう」

心からの感謝を言葉にした。

「これからもずっと側にいてくれ」

祖父が亡くなってから鏑木に対して素直になれない時間が続いたけれど、ジャングルにいるせいか、心の声を正直に口にすることができた。

ここが鏑木と出会った場所だからかもしれない。

「俺にはおまえが必要なんだ」

重ねた懇願に、鏑木の顔が歪んだ。苦しげなその表情に驚く。

「鏑木？」

「蓮……俺は」

鏑木が掠《かす》れた声を発した。蓮は続きを待ったが、鏑木は言葉を継ぐことなくぎゅっと唇を引き結んだ。

「…………」

長い沈黙を経て、鏑木がふっと息を吐く。

蓮をまっすぐ見つめるその顔は、迷いを吹っ切ったかのようにすっきりして見えた。

やにわに鏑木が膝を折り、意表を突かれた蓮の前に跪《ひざまず》く。中世の騎士よろしく、蓮の右手を取って押《お》し戴《いただ》いた。

「俺にとっておまえは……ただ一人の主《あるじ》だ。俺の……王だ」

「……鏑木」

「おまえが必要としてくれている限り、いかなる時も傍らに寄り添い、その命に従うと誓う」

厳《おごそ》かな声音で告げられた永遠の忠誠に、蓮の心はゆっくりと満たされ、唇が微かな笑みを象《かたど》った。

POSTSCRIPT

KAORU IWAMOTO

このたびはたくさんの本の中から『碧の王子～Ｐｒｉｎｃｅ ｏｆ Ｓｉｌｖａ～』をお手に取ってくださいましてありがとうございました。

新シリーズ始動です。

新しいシリーズはちょっと毛色の変わった作品となりました。まず舞台が南米です。主人公の少年・蓮はジャングル育ちという変わり種。もうひとりの主人公・鏑木も元軍人です。二人は主従関係にあり、かなりの年齢差がありますが、少年のほうが主。

もうこれだけでも、私的には萌え転がってしまうのですが、果たして同じような趣向の方はどれくらいいらっしゃいますでしょうか。

南米を舞台にしたお話を書きたいというのは、デビュー前からの夢のひとつでした。それにしてもなんで南米萌え？　と自分でも不思議に思い、記憶を探ったところ、まだ私が学生だった頃、ブラジルに渡って珈琲農園を営んでいた大叔母（当時日本に里帰りしていた）に現地の話を聞いたことがルーツのような気がしてきました。「リオのカーニバルを観にいらっしゃいよ」と誘われたのに、貧乏学生だった私は旅費が出せなかった。がんばってバイトして行っておけばよかったな、といまになって後悔しています。

それから〇十年の月日が過ぎ、別の仕事を選択したはずがなぜか小説